KB050095

춤추는
코끼리

제8회 김만중문학상

소설 부문 은상 수상작

김경순 장편소설

책과나무

| 목차 |

| 제8회 김만중문학상 소설 부문 |

은상

김
경
순

춤추는
코끼리

그 집은 폭력의 가해자와 피해자가 다니는 길로 열려 있었다. – 클라브 바커, 『피의 책』

내가 이 책에서 쓰는 것은 사실과 다르며 또한 같은 것이다. – 마르그리트 뒤라스, 『연인』

눈물 모양의 지붕

거대한 눈물 모양의 지붕이 건설 중이었다. 이를 두고 할머니는 절이 들어선다고 했고, 엄마는 "저기가 산이요? 절을 짓게. 성당이 들어선다고 합디다."라고 주장했다. 아빠는 오랜 백수 생활을 접고 눈물 모양 지붕의 건설 현장에 막노동꾼으로 취직이 되었다. 출근 첫날 퇴근하고 돌아오는 아빠를 할머니와 엄마는 무언의 신경전을 벌이며 기다렸다. 직접 현장에서 일한 아빠가 절인지, 성당인지 명쾌하게 판정을 내려 줄 거라 기대해서였다. 퇴근한 아빠가 수건으로 모래 먼지를 털어 내며 이슬람사원을 짓는답니다, 라고 심드렁하게 말하자 사원이라는 말은 그럭저럭 알 것 같기도 한데 이슬람이라는 말은 생전 들어 보지 못했기 때문에 두 여자 모두 졌다는 패배감에 시무룩해했다.

아빠는 매일 공사장에서 집에 오면 두 개의 바지 주머니를 탈탈 털어서 타일을 꺼내 나에게 주었다. 모래 먼지를 뒤집어쓴 타일은 물에 씻으면 하얀 바탕에 파란 무늬가 돋을새김된 매끄러운 타일이 되었다. 명숙이와 나는 그 타일로 이슬람사원 모형을 건설 중이었다.

아빠의 퇴근 시간이 가까워지면 타일을 받으려고 아빠를 기다렸다. 이곳은 달동네여서 지대가 높은데다가 우리 집은 옥탑방이어서 원하기만 하면 어느 쪽으로 고개를 돌려도 구경할 것 천지였다. 저 멀리 위로는 남산타워가, 아래로는 내가 다니는 이태원 국민학교와 아빠가 일하는 곳의 눈물 모양 지붕이 미니어처처럼 내려다보였다. 그리고 쪽문 옆 저 먼 곳에는 무엇인지 알 수 없는 뭔가가 반짝이며 눈부시게 빛나고 있었다. 아마도 그곳에서 빛이 오는 것 같았다. 해의 쨍한 노란 기운이 가시면 빛이 다가왔다. 그 빛은 깊은 숨을 쉬게 한다. 좁은 골목을 끼고 다닥다닥 붙은 낡고 쓰러질 듯한 집들 사이를 떠돌다 당도한 먼빛은 먼 바람을 토해 놓았다. 투명하다 못해 바스라지고 마는 먼빛은 눈부시게 황홀해서 몇 시간이고 꼼짝 않고 앉아 있게 만들었다.

이런 내 모습을 보면 엄마는 혀를 차거나 긴 한숨을 내쉬었다. 드물게는 생리도 시작한다는 11살의 나이에 생리는커녕 가슴 몽우리도 잡히지 않은 내가 몇 시간이고 멍청하게 앉아 먼 곳을 하염없이 바라보고 앉아 있을 때마다 엄마는 발육이 늦어서……, 라고 말을 흐리곤 했다. 발랑 까졌다는 표현으로 일찍 성숙한 또래 애들을 비하하는 엄마이고 보면 발육이 왕성하지 못한 나를 자랑스러워해야 마땅한데 공부까지 썩 잘하지 못하는 나를 엄마는 부끄러움과 걱정으로 한숨을 쉬고 혀를 차는 것이다.

엄마가 이런 데는 이유가 있다. 내 탄생의 비밀 때문이다. 나는 '길거리 표' 아이이다. 만삭의 엄마가 고사리와 도라지를 다라이에 담아 남대문 시장 아무 데서나 펼쳐 놓고 팔다가 노점상 단속을 하는 경찰에 쫓겨 과로한 나머지 시장 바닥에서 나를 낳았다. 팔삭둥이는 면했지만 열 달을 채우지 못하고 태어난 것이 뇌에 안 좋은 영향을 미쳐 어른이 되어서도 사람 구실을 못하는 것 아닌가 내심 걱정하는 것이다.

"난 그때 니가 꼭 죽은 줄만 알았어야. 탯줄을 끊는데 울기는커녕 숨도 안 쉬더라니까."

도라지를 쪼개던 칼로 탯줄을 자르는데 세상에 태어나게 해 줘 고맙다고 신나게 울 아이가 어디 있겠는가. 내가 울지 않은 건 피를 뒤집어쓴 알몸을 시장 사람들에게 고스란히 보여야 했던 수치심 때문이었고, 숨을 쉴 수 없었던 건 남대문 시장의 지독한 악취 때문이었다. 지금도 공부 잘하는 친구들보다 병원에서 태어났다는 친구들이 더 부럽다. 걔네들 앞에서 죽어도 시장 바닥에서 태어났다는 말은 못한다. 그러나 사실 지금 형편으로는 탄생의 수치에 대해서 떠들 처지가 못 된다.

한때는 엄마 아빠의 근면 성실한 노력 덕분에 노점상 단속을 하는 순경들과의 추격전을 아이들 숨바꼭질쯤으로 웃으며 회상할 정도로 살림이 폈었다. 돈암동에 번듯한 한옥주택도 장만했다. 그러나 아버지가 혈육의 정을 나누었다고 믿은 상인들에게 집을 담보로 돈 빌리는 것을 허락했고, 어느 날 이들은 짠 것처럼 야반도주를 했다. 돈암동 집은 경매로 넘어갔고 우리는 이태원 달동네로 이사를 왔다. 도라지와 고사리는 전원적인 낭만이라도 담겨 있지, 지금 엄마는 생선 노점상을 하고 있다. 내가 시장 바닥에서 태어나던 때보다 더 열악한 상황으로 전락한 마당에 나의 탄생이 수치스러웠느니 떠벌리는 것 자체가 사치스러운 것이다.

우리 집은 고압선집

"와! 옥탑방이다."

이태원 달동네로 이사 온 첫날, 옥상에 올라 주변을 둘러보니 훤히 내려다보이는 게 신이 나서 나도 모르게 소리쳤다. 여상을 졸업하고 양말 공장에서 경리 일을 보고 있는 언니는 옥탑이니, 옥상이니 하는 단어가 들어가면 가난한 걸 광고하는 꼴이니 절대 입에 못 올리게 했다. 2층 위에 있는 집이니까 엄연한 삼층집이라고 우겼다. 할머니는 달동네로 이사 온 것도 서러운데 손녀딸들이 옥탑방이니 삼층집이니 명칭을 두고 싸우는 걸 두고 "뺄짓이나 하면서 밥이나 축내는 식충이들"이라고 야단쳤다.

할머니는 몇 발짝만 걸어가면 탁 트인 바다가 펼쳐지고 몇 걸음만 올라가면 유달산이 나오는 배산임수의 목포에서 태어나 70년을 살다가 돌아가시기 전에 효도한다는 아빠의 청을 받아들여 서울에 온 지 이 년째였다. 물 맑고 공기 좋은 유달산 아래서 농사짓고 살다 보면 최고의 시련이 한 해 흉년이었던 할머니는 도시에서 순식간에 일어나는 전락을 쉽게 인정하지 못했다. 마당과 장독대가 있던 돈암동의 한옥을 강탈당한 뒤 하루아침에 골목마다 깨진 연탄재와 쓰레기가 넘치고 땟국 흐르는 아이들의 입에서 흘러나오는 욕지

거리를 듣는 동네로 이사 왔다는 게 믿어지지 않았던 것이다.

할머니가 화를 내건, 언니가 말리건 나는 내 고집대로 옥탑방이라고 부르려고 했지만 곧 '고압선집'이라고 바꿔 불러야만 했다. 옥상 난간을 빙 둘러서 순대처럼 시커멓고 굵은 고압선이 둘러쳐져 있었던 것이다. 할머니는 햇볕 좋은 날 솜이불 서너 채를 널어 말리면 좋겠다는 심정으로 시커먼 고압선 줄을 쥐고 흔들었다가 그건 빨랫줄이 아니라 전깃줄이어서 돼지새끼가 닿으면 통돼지 구이가 될 정도로 강력한 전기가 흐른다는 오빠의 말에 입을 다물지 못했다. 오빠는 내게도 통돼지 구이가 되고 싶지 않거들랑 고압선 근처에는 얼씬거리지 말라고, 특히 여름인데 비라도 오는 날에는 감전돼 타 죽는다고 눈을 부릅뜨고 엄포를 놓았다. 그래서 옥탑방으로 이사를 가면 팔짱을 끼고 옥상 난간에 기대서서 지나가는 사람들의 정수리와 달리는 차의 지붕을 내려다보려던 낭만은 포기해야 했다.

그러나 고압선 문제는 화장실 문제에 비하면 별거 아니었다. 사실 화장실이라는 명칭을 사용할 수도 없는 형상이었다. 완전 푸세식이어서 냄새는 말할 것도 없고, 일보던 중에 구더기들의 행렬을 보는 건 일상이었다. 가끔은 그들처럼 일사분란하게 행군을 하고 싶은 충동마저 불러일으켰다. 그런 변소조차 원할 때, 마음대로 사용할 수 없었으니, '춘희대폿집'의 손님들과 공동으로 이용해야 했기 때문이다.

1층에 있는 춘희대폿집은 혀가 얼얼해지는 '불타는 곱창'으로 유명했다. 달동네 막노동꾼들이 집에 들어가기 전에 일당으로 받은 푼돈으로 매운 곱창구이에 막걸리 한 잔을 걸치는 경우가 많아서 골목에 있는 것치고는 장사가 잘되는 편이었다.

우리 식구도 7명이나 되다 보니 손님들이 몰려드는 저녁 무렵부터는 춘희대폿집 앞에서 얼쩡거리는 식구들을 심심찮게 볼 수 있었다. 볼일 보러 1층 계단참까지 내려갔는데 변소에 사람이 있으면 그 앞에 서 있기는 쑥스럽고 다시 옥상까지 올라가자니 다리 아프니까 춘희대폿집 앞에서 왔다 갔다 하면서 화장실 동태를 살피는 식구들 말이다. 그러다가 귀가하는 다른 식구들과 만나면 공범처럼 어색하게 웃거나 아예 시선을 돌려 모르는 척했다. 그 상황에서 "일 보러 왔니?" 혹은 "일 잘 보고 와."라고 인사할 수 없으니 이해했다. 이해라는 건 상대방의 감추고 싶어 하는 모습을 눈감아 주는 것이라는 사실을 터득하게 해 주었다.

한 술 더 떠서 계단의 경사가 급해서 올려다보는 것도, 내려다보는 것도 현기증이 날 만큼 아득했다. 누가 먼저랄 것도 없이 어느새 우리들은 '90도계단'이라고 부르고 있었다. 우리 같이 젊은 사람도 90도계단을 왕복하고 나면 다리가 후들거릴 정도로 가파른데 퇴행성관절염이 있는 할머니는 말할 것도 없었다.

"꼴마리를 까기도 전에 술 취한 놈들이 고래고래 소리를 지르면서 문을 두드려 대싸니 시원하게 일을 볼 수 있나, 쪼그리고 앉아 있다가 까끄막까지 올라오고 나면 당최 다리가 폭폭해 놔서."

이런 구조 탓에 할머니는 요강을 애용했다. 돈암동에 살 때도 할머니는 시골에서 가져온 고려청자 빛깔의 요강을 꿋꿋하게 이용했다. 엄마는 요즘에 요강 쓰는 사람이 어디 있냐고 대놓고 싫은 내색을 하면, "수세식 변기에 앉기만 하믄 오줌구녕이 콱 막힌디 어짤 것이냐."라고 오히려 큰소리를 쳤다.

시골에서 거적으로 입구가 가려진 뒷간을 이용해 오던 할머니가 갑자기 수세식 변기를 이용하려니 적응이 안 되는 것도 당연했다. 새벽에 식구들이 일어나기 전에 몰래 요강을 들고 나가 수챗구멍에 비우는 노력으로 할머니의 요강이 버텨 왔는데, 90도계단이 할머니의 안 좋은 관절을 완전히 망가뜨려 앉은뱅이처럼 빡빡 기기라도 할까 봐 그랬는지 엄마도 할머니의 요강을 더 이상 타박하지 않았다.

춘희대폿집

1층 춘희대폿집에는 명숙이가 할머니와 단둘이 살고 있었다. 명숙이 할머니의 외모는 흰머리와 검은머리가 뒤섞여 잿빛인데다 퀴퀴한 냄새마저 풍기는 말꼬랑지 같은 머리를 비녀로 쪽찐 우리 할머니와는 완전히 달랐다. 검게 염색한 짧은 커트 머리를 올백으로 넘기고 탱탱한 피부에 새빨간 립스틱을 발라 할머니라고 부르기 민망한 외모였다. 명숙이는 이삿짐을 옮기는 내 옆구리에 은근슬쩍 달라붙더니 내가 나르고 있던 옷 보따리를 들어 주는 척하며 말을 붙였다.

"너 몇 살이야?"

나는 대답하지 않았다. 처음 보는 사람에게 몇 살이냐고 묻는 넉살 좋은 애들을 나는 믿지 않았다. 세상에서 피를 나눈 부모 형제들 외에는 죄다 도둑놈이라고 믿는 할머니는 명숙이의 이런 행동을 지켜보고 있다가 명숙이의 손에 들린 보따리를 휙 잡아 뺐다.

"시상에, 눈을 번연히 뜨고도 코 베 가는 게 서울이라등마, 여그이 가스나 좀 보소."

할머니는 욕만 안 섞었다 뿐이지 명숙이를 거의 좀도둑 취급하는데도 명숙이는 기분 나빠 하지 않고 천연덕스레 자신을 소개했다.

"할머니, 저는 여기 살아요."

명숙이가 춘희대폿집이라고 상호가 쓰여 있는 낡은 입간판을 가리켰다. 할머니는 유심히 간판을 들여다보더니 자신의 추리가 맞아떨어졌다는 듯이 목청을 높였다.

"그럼 그렇재. 물장사 하는 집 딸이구만."

헌옷 몇 개 구겨져 들어 있는 보따리를 가슴에 끌어안으며 할머니는 벌건 대낮에 이삿짐을 도둑맞을 뻔했다는 듯이 눈을 흘겼다. 누가 보았으면 그 보따리에 보물이라도 들어 있는 줄 알았을 것이다. 그때 입간판 옆에서 얼굴 하나가 삐죽이 나왔다. 얼굴이라기보다는 빨간 입술이 나왔다고 할 만큼 진한 립스틱이 우리의 시선을 사로잡았다.

"이보세요. 물장사라니요?"

할머니라고도 할 수 없고, 아줌마라고도 할 수 없는 묘한 얼굴을 한 중늙은이의 믿을 수 없을 만큼 찰지면서도 부드러운 목소리에 우리 식구들은 딴 세상에 온 듯 멍하니 서 있었다. 계단이 좁아서 인부와 장롱을 옮기느라 씨름을 하고 있던 아빠도, 고압선집에 막 책 상자를 부려 놓고 내려온 오빠도, 계단 몇 번 오르내리고는 무릎이 쑤신다고 허리에 손을 받치고 서 있던 언니도, 무턱대고 딴지 걸기 좋아하는 할머니에게 수치심을 느끼고 서 있던 나도, 그 목소리의 주인공을 쳐다보고만 있었다. 화를 내는 것은 아니고, 싸우자는 것은 더더욱 아니지만 말끝을 슬쩍 올리는 부드러움 속에는 사람 숨구멍을 순식간에 찔러 죽게 만든다는 닭 뼈 같은 날카로움이 숨어 있었다. 우렁우렁한 목소리 하나로 시골에서도 싸움이라면 져 본 적이 없는 할머니는 버들가지처럼 야들야들하면서도 왠지 모르게 기분 나쁘게 생긴 중늙은이의 말을 받았다. 할머니는 내심 '오냐, 너 잘 만났다. 그렇지 않아도 내가 아들 망하는 꼴을 두 눈 번연히 뜨고 지켜보느라 배알이 꼴렸는디, 어디 분풀이나 해 볼란다.' 라는 심사가 들어 있었다.

"하이고, 지가 몰라뵈었구만이라우. 여그 대폿집이라고 상호가 써 있는디, 대폿집이 물장사가 아니믄 불장사랍디여?"

할머니의 비아냥거림에도 불구하고 춘희할머니는 빨간 입술을 단정하게 움직이며 명확하게 읊조렸다.

"물장사도 아니구요, 불장사도 아니구요. 저희는 그냥 술장사 하는 집입니다."

물장사라는 것이 술장사를 통칭하는 것이고 술장사가 물장사라는 말보다 하나도 더 고상할 것이 없음에도 불구하고 교양 있는 찰진 목소리로 술장사 하는 집입니다, 라고 하는 순간 마치 책장사, 보석장사라는 말처럼 고상하게 들렸다. 춘희할머니가 술장사라고 말하는 것은 고상하게 들리고 어째서 자신이 물장사라고 한 말은 천하게 들리는지 할머니조차 의아해하면서 식구들이 지켜보는 가운데 장기전으로 가면 불리할 것을 감지한 할머니가 자신의 장기인 호통을 날렸다.

"워메, 지금 나랑 장난하잔갑네. 물장사는 똥 기저귀고, 술장사는 사주단자 싸는 비단이랍디여?"

빨간 입술을 향해 할머니가 삿대질을 했다. 달동네 전체를 쩌렁쩌렁 울리는 호통에 우리도 귀를 막을 정도였다. 빨간 입술도 흠칫 놀라 한발 뒤로 물러섰다. 그러나 빨간 입술의 다음 말에 우리는 할머니가 패했음을 인정해야 했다.

"어머, 교양을 어디 말똥에 발라 화덕에 구워 잡수셨나. 암튼 촌놈들은 다 시골로 보내 버려야 해."

"뭐? 촌놈? 내가 놈으로 보이냐? 난 년이여, 년. 그래, 나 촌년이다. 나 촌년 되는디 보태 준 거 있냐?"

할머니가 악을 써 보았지만 빨간 입술은 이미 춘희대폿집 안으로 사라진 뒤였다. 명숙이 할머니라고 하기엔 젊고, 엄마라고 하기엔 늙고, 일하는 아줌마라고 하기엔 너무 깔끔한 이 여자의 정체를 알 수 없어 말리지도 못하고 멀뚱히 구경하는 자세를 취하고 있던 아빠와 엄마가 순식간에 광분해서 대폿집으로 돌진하려는 할머니의 양팔을 그제야 붙들었다. 할머니는 못이기는 척 뒤로 물러섰지만 여전히 화가 안 풀려 "재수가 없으려니까 똥물을 뒤집어썼다."고 툴툴거렸다. 하지만 하루가 지나기도 전에 우리 집은 막노동꾼에 생선장수집이라는 게 탄로가 났다. "아유, 저는 뭐 대단하신 장관 댁쯤 되는 줄 알았습니다." 우리는 한동안 춘희할머니의 이런 비아냥거림에 시달려야 했다. 그때만 해도 이 떠들썩했던 최초의 싸움이 할머니와 춘희할머니, 시골할머니와 서울할머니의 대결을 알리는 서막에 불과했다는 것을 아무도 예상하지 못했다.

• • •

나는 이사 온 첫날부터 같은 건물에 세 들어 사는 사람과 싸운 할머니가 너무 창피해서 고개를 숙이고 있었지만 명숙이는 아무렇지도 않은 듯 콧노래를 흥얼거렸다. 그게 부럽기도 하고 너무 뻔뻔스러워 경계하는 마음이 생기기도 했다. 이런 내 마음을 명숙이가 읽었는지 내 곁에 바짝 다가오더니 속삭였다.

"신경 쓰지 마. 어른들은 다 한심해."

명숙이가 코를 찡긋거리며 웃었는데 그 모습에 나도 웃음이 터졌다.

"너 몇 살이야?"

"11살."

이번엔 내가 곧장 대답했다.

"어? 나둔데. 그럼 우리 같은 반 되겠다."

나이가 똑같다고 같은 반 된다는 보장이 어디 있을까? 이런 긍정적인 생각은 어디서 오는지 이해되지 않았다. 나는 태어날 때 시설 좋은 병원이나 경험 많은 산파의 보호 아래 태어나지 않아서인지 세상은 온통 불명확하고, 믿을 수 없는 곳이었다.

명숙이가 다니는 이태원 국민학교에 가서 전학 수속을 받고 며칠 후부터 학교를 다니게 되었는데 당연히 명숙이와는 다른 반이 되었다. 그러나 명숙이가 같은 반이 될 거라는 암시를 계속 줘서인지 막상 다른 반이 되자 실망스럽기까지 했다.

등교 첫날 명숙이가 복도에서 기다려 주었다. 집으로 같이 오면서 이런저런 이야기를 나누었다. 빨간 입술의 할머니는 외할머니라는 것, 아빠는 태어나서 단 한 번도 본 적이 없다는 것, 엄마는 아주 어렸을 때 보고 그 뒤로 못 보았다는 것 등을 아무렇지도 않게 말했다. 나도 우리 가족 소개를 간단히 했다. 그러나 내가 시장 바닥에서 태어났다는 것과 우리 가족의 부끄러움인 '그 여자'에 대한 이야기는 하지 않았다. 나는 적어도 내 수치스러운 부분을 까발릴 정도로 뻔뻔하지는 않다.

춘희할머니는 연탄불에서 지글지글 끓고 있는 곱창을 뒤집어 주다가 손님들이 권하는 막걸리를 한 잔 두 잔 받아 마셔서 취기가 오르면 누가 시키지 않아도 흘러간 옛 노래를 목청껏 불렀다. 빨간 입술 사이로 흘러나오는 찰지고 기름진 노랫가락을 들으면 "교양을 말똥에 발라 화덕에 구워 잡수셨나?"라는 말이 떠올라 웃음이 나왔다. 춘희할머니의 노랫소리가 매운 연기에 실려 골목길에 뿌옇게 차오르면 달동네 어딘가에 붙어 있는 집을 향해 지친 발걸음을 옮기던 행인도 대폿집으로 들어가 한잔 기울이고 싶은 충동을 일어나게 만들었다.

듣는 사람의 가슴을 쥐어뜯게 만드는 호소력을 지닌 춘희할머니의 노래에도 한 가지 문제점이 있었는데 바로 꼭 한 박자 늦는 것이었다. 술 취한 와중에도 술꾼들이 제대로 박자를 맞추려고 젓가락 장단을 한숨 늦추면, 춘희할머니의 노랫가락은 또 한 박자 처졌다. 이상하게 이런 엇박자의 노랫소리를 들으면 가슴 한구석이 먹먹해지고 안타까운 마음이 들면서 춘희할머니에게 달려가 박자를 바로 잡아 주고 싶은 마음이 들었다. 우리 식구들은 밤늦도록 대폿집에서 올라오는 '동백아가씨'나 '이름도 몰라요 성도 몰라' 따위의 그날 명숙이 할머니가 부른 레퍼토리를 자신도 모르는 사이에 흥얼거리곤 했다.

그러나 내가 무엇보다 춘희할머니를 좋아하는 이유는 끙끙대는 고민들을 간단하고도 명쾌하게 해결해 주기 때문이었다. 이사 온 이후로 가장 큰 고민이었던 변소 문제를 춘희할머니에게 털어놓았다.

"자다가 오줌 마려워서 새벽에 깨면 변소에 못 가겠어요. 구더기들도 많고 발을 헛디뎌 빠질까 봐 무서워요."

"옥상에 수챗구멍 있잖아. 거기에 누면 되지, 대수야?"

"그러다 식구들한테 들키면 어떻게 해요?"

"들키면 대수야?"

"창피하잖아요."

"뭐든 창피하다고 생각하면 아무것도 할 수 없는 법이다."

나는 수치심을 몸에 바르고 태어난 아이였다. 나한테는 창피한 게 무척 중요한 일이다. 그런데 창피한 게 대수가 아니라니. 명숙이는 춘희할머니의 이런 세뇌의 덕분에 부끄러움을 모르는 애로 자랐는지 모른다. 아니면 부끄러움은 부모가 없는 명숙이가 세상을 살아가는 데 불편해서 벗어던졌는지도.

다른 사람들의 문제를 간단하게 해결하는 사람도 자신의 문제만은 어쩔 수 없는 모양이다. 한번은 내가 "춘희할머니는 노래할 때 왜 꼭 한 박자씩 느려요?"라고 물었더니 갑자기 정색을 하면서 이제까지 자기 노래를 가지고 시비를 거는 사람은 없었다고 화를 냈다. 나는 춘희할머니 특유의 찰진 목소리로 "노래만 잘하면 됐지, 한 박자 느린 게 대수야?"라는 대답을 기대했는데 화를 내서 조금 실망했다.

아침에 명숙이와 학교에 가려고 춘희대폿집으로 내려가면 입간판 아래 담배꽁초가 수북이 쌓여 있었다. 춘희할머니가 피운 것이다. 자정이 넘어 취객들이 모두 돌아간 뒤 쪼그리고 앉아 엄지와 검지로 담배를 쥐고 피우는 춘희할머니도 자신의 쓸쓸함에 대한 고민은 해결하지 못하는 것 같다. 그런 모습은 교양 있는 서울 할머니가 아니라 그저 술장사를 하는 늙은 여자에 불과했다.

습관이 가진 장점은 아무리 좋지 않은 것이라 해도 그것에서 나름의 기쁨을 발견한다는 점일 것이다. 우리 식구들 모두 이사 온 지 얼마 되지 않아 공중변소와 고압선과 90도계단에 길들여졌다. 나는 90도계단의 철제 난간을 이용해 미끄럼을 타는 즐거움을 익혀 갔고, 엄마는 내가 낮은 옥상 난간에서 기웃거리다가 떨어질까 봐 걱정했는데 고압선 때문에 근처에 얼찡대지 않아 좋다고 했고, 할머니는 지대가 높은 달동네여서 유달산에 살 때 촌놈들 서울 구경 일 순위였던 남산타워를 매일 쳐다보게 될 줄 누가 알았냐고 좋아했다.

흑인 소녀 미미

2층은 두 가구로 쪼개져 201호에는 흑인 혼혈아 미미가, 202호에는 아랍인 모하메드 할아버지가 살고 있었다. 이곳은 용산 미8군부대에서 얼마 떨어지지 않은 텍사스촌이어서 네온사인이 번쩍이는 밤은 말할 것도 없고 대낮에도 외국인을 수시로 볼 수 있었다. 내가 태어나서 지금까지 본 외국인보다 요 며칠 동안 본 숫자가 더 많았다.

"뭐하고 있냐? 이 살림살이 길바닥에 펴질러 놓고 동네 사람들 다 구경시켜 주고 잡냐?"

막내라고 옷 보퉁이나 주전자 따위의 가벼운 것을 나르는 와중에도 외국인이 보였다 하면 두리번거리는 나를 두고 할머니가 호통을 칠 정도였다. 더욱이 바로 아래층에 흑인과 아랍인이 살고 있어서 이곳이 한국이 맞나 싶었다.

이사 온 날 90도 계단을 오르내리는 동안에 201호 현관문이 빼꼼히 열린 곳에서 '트윙클 트윙클 리틀스타……' 하는 노랫소리가 들려 돌아보았더니 새까만 아이가 나를 몰래 엿보고 있었다. 그러나 그때는 춘희할머니와 할머니가 싸우는 통에 정신이 없어서 신경 쓸 겨를이 없었다. 며칠 뒤에 명숙이와 헤어져 90도계단을 올라가는

데 또 트윙클 트윙클 하는 노랫소리가 들려왔다. 나는 이끌리듯이 201호 철문에 귀를 댔다. 그러자 미미는 철문 뒤에서 내가 학교에서 오기를 기다리고 있었던 듯, 문을 벌컥 열었다.

"아빠가 나 미국으로 오라고 초청했다."

미국 간다는 말이 부러웠지만 그보다는 샬라샬라 해야 할 거 같은 흑인아이의 입에서 유창한 한국말이 흘러나와 놀라 서 있는데, 어느 틈엔가 명숙이가 나타났다.

"아빠가 없는데 어떻게 가? 너 작년에도, 재작년에도 미국 간다고 하구선 아직 여기에 처박혀 있잖아. 너 학교 안 다니니까 창피해서 거짓말하는 거지? 쟤는 열 살인데 학교도 안 다녀."

"나 미국에 비행기 타고 갈 거야. 너희는 비행기 구경도 못했지?"

미미가 약 올리듯이 혀를 내밀었다.

"저 말 다 거짓말이야. 그러니까 쟤랑 친하게 지내지 마."

명숙이가 내 팔을 끌어당겼다. 피부는 까맸지만 쌍까풀 진 커다란 눈에 긴 속눈썹이 무척 예뻐서 내가 미미를 자꾸 힐끔거리자 명숙이가 쐐기를 박듯이 소곤거렸다.

"쟤 엄마 양갈보야."

배우지 않아도 알게 되는 말이 있다. 입에 신 침이 고이면서 부끄럽게 만드는 말들. 어른들 세계에서만 쓸 수 있는 금기시되는 말들. 명숙이한테 양갈보라는 말을 처음 들었을 때도 그랬다. 양색시라는 말은 알고 있었다. 엄마는 이곳 고압선집을 계약하기 전에 미군부대 앞에 있는 방 세 칸짜리 벌집을 알아보고 다녔다. 방 하나는 우리 식구들이 살고 방 두 칸을 양색시에게 일세로 놓으면 확실한 현금장사라서 월세 내는 데는 지장이 없을 거라고 들떠 있었다. 그러나 아빠가 딴지를 걸었다.

"애들 교육은 어떡하고?"

아빠가 집을 경매에 넘어가게 한 뒤 처음으로 소신 발언을 했다.

"애들 교육 좋아하시네."

엄마가 아빠를 노려보자, 아빠는 아무 말도 못하고 먼 산만 바라봤다. 그러나 이 계획은 실행되지 못했다. 비록 면전에서 아빠의 의견을 묵살하기는 했지만 자식 교육을 염려했는지 슬그머니 없던 일이 되었다. 아빠가 그때 애들 교육은 어떻게 하느냐고 걱정했던 그 양색시가 바로 미미엄마였다.

"미국 아빠가 초청하면 미국에 갈 수 있잖아." 내가 소곤거렸다.

"아빠가 없는데 어떻게 가?"

"미국에 계시는 거 아냐?"

"쟤도 나처럼 아빠 얼굴도 몰라."

"그럼 그냥 한국 학교 다니면 되잖아."

"저 새까만 얼굴에, 빠글거리는 곱슬머리로 학교에 가 봐. 애들이 가만 놔둘 거 같아? 놀림 당하느라 하루도 버티지 못할걸."

아빠까지 교육을 걱정하는 양색시의 딸이라면, 명숙이처럼 부끄러움을 모르는 애도 민망해서 나한테 소곤거렸던 양갈보의 딸이라면, 미미가 학교를 다니는 것은 어려울 수도 있을 것이다. 하지만 춘희할머니 말대로 창피한 게 대수인가? 무엇이든 창피하게 생각하면 아무것도 할 수 없는 것이다.

뻔뻔하고 넉살 좋은 명숙이도 미미의 존재만은 부끄러워해서 미미가 입에서 살살 녹는 미제 초콜릿이나 바비인형을 준다고 해도 아는 척하지 않았다. 나중에 알게 된 일이지만, 명숙이가 미미를 이렇게 대한 이유는 명숙이도 탄생의 비밀을 가지고 있어서였다. 나 또한 할머니가 "저승사자가 쓴 갓보다 더 새까만 종자와는 상종도 하지 말라."는 명령으로 미미와 놀 수 없었다. 그렇다고는 해도 미미가 그렇게 일찍 이사를 가게 될 줄 알았다면 좀 더 친하게 지내도 됐을걸 하는 후회가 남는다.

모하메드 콧수염할아버지

미미네 옆집 202호에는 모하메드 할아버지가 살고 있었다. 아랍인을 본 것은 난생 처음이었다. 머리와 턱수염이 하얗게 세어서 환갑은 넘어 보이는데 깊은 눈망울 위에 얹힌 짙은 눈썹, 어깨를 곧게 펴고 당당하게 걸을 때의 풍채를 보면 도저히 예순을 넘겼다는 게 믿어지지 않았다. 콧수염을 늘 기르고 다녀서 콧수염할아버지라고 불렀다.

콧수염할아버지에 대해서는 명숙이도 아는 게 별로 없었다. 우리처럼 이사 온 지 얼마 되지 않는다고 했다. 내가 자는 방이 콧수염할아버지 방 위여서 자려고 누우면 이상한 음악 소리가 울리곤 했다. 피리 소리처럼 끊일 듯 아슬아슬 이어지는 음악 소리는 신비스러웠다. 오빠에게 물었더니 그건 이슬람 음악이라고 했다. 잘난 척하기 좋아하는 오빠가 더 이상 설명을 안 한 걸 보면 이슬람 음악에 대해 잘 모르는 게 분명했다. 이슬람 사원, 이슬람 음악, 이슬람 할아버지 모두 난생 처음 접하는 신비스러운 존재였다.

그런 신비에 싸인 콧수염할아버지의 정체가 드러난 사건이 발생했다. 그것도 아빠 입을 통해서가 아니라 엄마가 콧수염할아버지를 우연히 계단에서 마주쳐서 알게 되어 엄마는 길길이 날뛰었다.

"세상에 도움 안 되는 작자들한테는 있는 대로 기마이 써서 집안을 이 꼴로 만들어 놓고 윗사람한테는 목에 기브스한 것마냥 뻣뻣해서 실속도 못 챙기고. 오십 년 인생 헛살았다니까."

콧수염할아버지는 아빠가 인부로 일하고 있는 이슬람사원 현장의 상관이었던 것이다. 그 사실을 알게 된 이후 할머니와 엄마는 새로운 음식을 만들 때마다 윗사람에게는 평소에 '와이로'를 먹여 놔야 한다며 나에게 갖다드리라고 했다.

특히 할머니가 더 관심을 가졌다. 콧수염할아버지를 처음 본 날 할머니는 헉, 숨을 멈추었다. 풍채가 좋고 덥수룩하게 기른 턱수염은 언젠가 읍내 장터 활동사진에서 보았던 이순신 장군 역을 맡은 신영균과 똑같다고 했다. 한국 여자들을 옆구리에 끼고 다니는 양코배기 미군들과 달리 동양적인 마스크도 마음에 들었다. 콧수염할아버지에 대해 자세한 정보를 모르는데도 할머니는 달과 해와 바람과 물의 숨결만으로 평생을 먹고사는 데 지장이 없었던 농부의 촉으로 할아버지가 돌아가신 후 20년을 지켰던 독수공방이 흔들리는 것을 느꼈다.

"너 참 귀여운 아이구나."

내가 처음 해물 부침개를 가지고 202호를 방문했을 때 콧수염할아버지가 칭찬해 주었다. 미미와 마찬가지로 아랍인의 입에서 유창한 한국말이 흘러 나와 깜짝 놀랐다. 콧수염할아버지는 자기네 나라에 있을 때부터 중동 붐으로 진출한 한국 건설회사에 근무해서 한국말을 잘한다고 했다.

할머니는 나를 씹다 뱉은 대추처럼 생겼다고 하고, 엄마도 아빠도 차마 자기 자식이니까 못생겼다는 말은 안 하지만 단 한 번도 예쁘다고 칭찬해 준 적이 없었다. 사람들도 기껏해야 공부 잘하게 생겼다는 걸로 내가 못생겼다는 암시를 주었는데 그나마 내가 공부를 못하니까 엄마에게는 욕이나 마찬가지였다. 잘생긴 외국인 할아버지에게 귀엽다는 말을 들으니 너무 기뻤다. 그 순간부터 나는 콧수염할아버지를 좋아하게 되었다.

아빠가 현장에서 주워들은 이야기로는 콧수염할아버지가 살던 동네가 폭격을 맞아서 아내와 아들, 딸, 가족 모두를 한순간에 잃었다고 한다. 그때 잃어버린 딸이 나와 비슷한 느낌이 들어서 나를 귀여워했다는 사실은 나중에 알게 되었다.

이 말을 내가 명숙이에게 전했더니 명숙이의 두 눈이 한껏 커지면서 "어머, 그 말이 사실이구나. 죽음을 따라다니는 사람들이 있대."라며 소곤거렸다. 202호에 혼자 살던 노총각이 자살했고 그 사실을 알고 있는 동네 사람들은 아무리 집값이 싸도 이사를 안 왔는데 콧수염할아버지는 외국인이라서 그 사실을 모르고 이사 온 것이라고 했다. 그 방에 사는 노총각이 자살을 했으니 콧수염할아버지도 저주를 받아 죽을 것이라고 했다. 정말 저주라는 게 있는 걸까. 그리고 그 저주가 외국인에게도 똑같이 통할까.

나는 90도계단을 오르내릴 때마다 201호와 202호의 철문에 귀를 기울이는 버릇이 생겼다. 콧수염할아버지 방에서 끊어질 듯하면서도 이어지고 이어질 듯하면서도 끊어지는 이슬람 음악이 희미하게 들려오면 언젠가 읽은 적이 있는 터번을 두른 아랍인이 마술피리를 불어 항아리에서 코브라를 불러내는 장면이 떠올랐다. 그럴 때면 나는 명숙이가 말했던 귀신 울음소리 같아서 허겁지겁 90도계단을 뛰어 올라가곤 했다.

암내와 더티

그 여자.

나는 아직 그 여자를 뭐라고 불러야 할지 모르겠다. 그 여자는 언니와 스무 살로 동갑이지만 언니라고 부른 적은 단 한 번도 없다. 아니, 딱 한 번 부른 적이 있지만 그건 어디까지나 실수였다.

나는 그 여자에 대해 할 말이 너무 많아서 온 동네에 나발을 불고 싶다가도 너무 부끄러워서 세상에 우리 식구 말고는 아무도 몰랐으면 좋겠다는 마음이 들었다. 우리 반 친구들, 특히 담임이 알면 우리 집은 수치스러운 집안이 되어 버린다.

"너희 집에 사는 저 언니 누구야?"

하루는 학교 끝나고 오다가 명숙이가 물었다. 나는 대답하지 않았다.

"식모야?"

달동네에 사는 주제에 식모를 데리고 있을 턱이 없지만 온 집안 살림살이를 도맡아 하는 여자라면 식모뿐이기에 명숙이도 그렇게 물을 수밖에 없었을 것이다. 내가 고개를 젓자, 명숙이는 더 이상 묻지 않았다. 우리는 서로 물어서는 안 되는 부분을 잘 알고 있었다. 내가 명숙이 아빠나 엄마에 대해 묻지 않는 것처럼.

하루는 춘희할머니가 막걸리를 담은 주전자를 씻으며 내게 물었다.

"저 여자는 누군데 너희 집에서 식모살이를 하고 있는 거냐?"

춘희할머니도 그 여자를 식모라고 부를 수밖에 없었을 것이다. 그 여자가 누구냐고 사람들이 물으면 뭐라고 대답해야 할지 나에게는 어려운 숙제였다.

"친척이냐?"

"네."

친척은 친척이다. 나는 이때 창피라는 것이 이불에 오줌을 싸거나, 시험을 못 보는 것처럼 내가 잘못했을 때 말고도 그냥 감추고 싶은 종류도 있다는 것을 알게 되었다. 춘희할머니가 창피해하기 시작하면 아무것도 하지 못한다는 말은 진리였다. 나는 그 뒤로 무엇을 해도 부끄러웠다. 내 마음속에서 아주 작은 씨앗으로 자란 부끄러움, 수치, 창피, 라는 말은 내 몸 구석구석에 씨가 뿌려져 쑥쑥 자라서 부끄러워서 아무것도 못하는 아이가 될 것 같아 두려웠다.

"우리 시통이, 뭐 구경해?"

지금처럼 그 여자가 나를 다정하게 시통이라고 부르면 내 별명이 시통이인 것은 사실이지만 정말 화가 난다. 나는 엄마를 닮아서 뻐드렁니에 윗입술이 들린 편이다. 어린아이답게 신나게 웃을 때면 윗입술이 휘딱 까지면서 벌건 잇몸이 드러난다. 평소에는 엄마한테 전수받은 비법인 '아랫니로 윗입술 지그시 누르고 있기'를 시행하고 있어서 잘 표시나지 않는다. 이 방법으로 엄마는 아빠와 선을 볼 때 들키지 않았을 뿐만 아니라 첫날밤까지도 무사히 치렀다고 한다. 다음 날 엄마가 잠깐 방심한 사이 윗입술이 돌돌 말린 채 들린 것을 아빠가 발견하고 너무 놀랐지만 아빠는 용서해 주었다고 한다.

이런 내 모습이 싫어서 나는 웃을 때조차 윗입술을 끌어당겨 킄킄거린다. 이런 모습이 자동차 시동을 걸 때 나는 소리와 비슷하다고 오빠가 시통이라는 별명을 붙여 주었다. 식구들 모두 나를 시통이라고 부르지만 그 여자가 나를 시통이라고 부를 때는 너무 화가 나서 윗입술을 누를 정도의 자제심도 사라져 버려 윗입술이 말려 올라가고 인상이 찡그려진다.

• • •

그 여자가 우리 집에 처음 오던 날을 잊지 못한다. 잊기는커녕 시간이 갈수록 더욱 선명해진다. 이태원으로 이사 오기 전, 돈암동 한옥에 살 때였다. 학교 운동장에서 간첩잡기 놀이를 하다가, 얼음땡 놀이를 하다가, 문득 운동장 한쪽이 뭉개지면서 아지랑이가 피어오르면 나는 멍청히 서서 경계를 허물어뜨리는 그 열기에 넋을 잃었다. 땅과 하늘 사이의 빈 공간에서 만들어 내는, 몸을 휘감기 전에는 알 수 없는 정체 모를 열기에 숨을 크게 들이켜 보기도 하고 헛기침을 하기도 했다. 열기가 뻗어 올라간 정글짐 꼭대기까지 올라가 보면 이미 그곳에는 사라지고 없었다. 보이긴 하지만 만질 수 없고, 만질 수 없지만 정체를 부정할 수 없는 봄의 열기가 계속되던 어느 날, 그 여자가 찾아왔다.

나는 그날의 모든 장면들을 또렷이 기억하고 있다. 식구들의 대사마저도 한마디 오차 없이 정확하다고 믿고 있다. 내가 학교 다녀왔습니다, 라고 외치며 안방 문을 열었을 때 앉아 있던 식구들의 구도, 표정, 내 인사에 응답하던 그 여자의 눈빛, 그때의 현장에서 빠져 있던 오빠와 언니가 퇴근하고 돌아왔을 때의 반응들도 고스란히 각인되어 있다.

안방 문을 열기 전, 운동화를 벗을 때부터 낯선 까만 구두에 시선을 빼앗겼는지도 모른다. 돈암동 집은 비록 전체적으로 허름한 인상이긴 해도 너른 마당을 지나면 ㄷ자 모양으로 부엌과 방과 화장실이 들어앉아 있었다. 마당에는 봄이면 채송화, 여름에는 나팔꽃이 만발했다. 장독대에는 간장과 고추장 항아리가 즐비했으며, 방과 대청마루의 정면을 빙 둘러 엉덩이를 넉넉하게 걸칠 수 있는 툇마루가 있었다.

진짜 툇마루였다. 고압선집과 그때 살던 한옥과의 현격한 차이는 이 툇마루에 있었다. 밤색도 황토색도 아닌, 그 중간의 오묘한 색을 띤 반질반질 윤나는 쪽마루가 피아노 건반처럼 균일하게 붙어 있었다. 사람들은 대청마루를 격이 높다지만 엉덩이를 걸치고 앉아 마당에서 벌어지는 모든 대소사와, 귀엣말을 나누는 안방의 소문을 흡수할 수 있는 곳은 툇마루뿐이었다. 언제든지 대문을 향해 달려갈 수 있고 부엌으로 달려가 시원한 사이다를 마실 수 있고 안

방 문을 열어젖혀 내 존재를 알릴 수 있는 변화무쌍한 중간지대였다.

고압선집에는 툇마루가 없다. 배수가 쉽지 않은 옥상임을 고려해 시멘트 턱을 만들고 그 위에 가건물로 방과 부엌을 앉힌 게 전부였다. 이 시멘트 턱을 만만하게 보고 발을 놀렸다가는 발목이 삐끗할 정도로 높았고, 툇마루인 양 엉덩이를 걸쳤다가는 두툼한 엉덩이 살도 배겨 내지 못하는 시멘트 냉기에 화들짝 놀라 몸을 일으켜야 했다.

그날, 그 여자가 오던 날, 한달음에 마당을 가로질러 툇마루에 앉아 신발을 벗으려고 했을 때, 끈 달린 검은 구두를 보고 또 시골에서 누군가 왔나 보다, 라고 생각했을지도 모른다. "금춘떡 큰아들이 서울서 성공했다등마."라는 부풀린 소문의 끝자락을 붙들고 어떻게 하면 서울에서 성공할 수 있는지 비법을 듣고자 먼 친척들이 수시로 찾아왔다.

소문의 진원지는 홀로 유달산을 지키고 있던 할머니일 가능성이 컸다. 당신의 훌륭한 큰아들이 어머니를 서울로 모시기 위해 조석으로 청을 넣지만 당신은 조금도 자식들 신세를 지지 않는 당당한 노인이라며 버티는 척하다가 시골집을 정리해서 올라온 지 이태 만에 뜨내기손님들이 자취를 감춘 게 그 근거였다. 낡은 검정 구두에서 그렇고 그런 시골 사람을 떠올렸을지도 모른다.

"학교……다녀왔……습니다."

안방 문을 열었을 때 한결같이 고개를 숙이고 있었던 듯 수많은 시선이 나를 향해 와락 쏠렸다. 시선보다 더 공포스러운 것은 시선 뒤에 고여 있었을 무거운 침묵이었다. 나는 바짝 긴장했다. 평소와 달리 반색한 것은 엄마였다.

"우리 시통이 왔구나. 인사해라. 시골서 언니가 올라왔다."

"안녕……하세요?"

양 갈래로 딴 머리 끝이 여자의 오버코트 위에 아무렇게나 걸쳐 있었고, 숱 많고 새까만 머리털 때문에 상대적으로 여자가 입고 있는 오버코트의 해진 깃이 더욱 부각되었다. 아직 꽃샘추위가 완전히 물러간 건 아니어도 벽에는 4월, 개나리와 진달래가 만개한 꽃달력이 걸려 있었다. 언니는 검은 코트 따위는 진작 벗어던지고, 멋 내다 골병든다는 엄마의 성화에도 불구하고 꽃샘추위에 벌벌 떨면서도 미니스커트에 얇은 카디건을 고수했다. 그 여자가 쥐색으로 바랜 검정 오바를 입고 있다는 것 자체가 기분 나쁜 나라에서 파견된 여자라는 인상을 주었다.

"니가 우리 막내구나."

처음 보는 여자가 활짝 웃으며 달려와 손이라도 잡을 듯이 반겼지만 엄마가 입을 다물고 인상을 찡그리고 있었기 때문에 나는 안방 문을 꽝 닫는 것으로 여자의 인사에 반응해야 한다는 것을 직감했다. 툇마루에 앉아 귀를 쫑긋 세우고 안방의 동태를 살폈는데 예상대로 방 안은 내가 나타나기 전의 침묵으로 돌아갔다.

마당에는 봄이 막 당도해 있었다. 미친 듯이 다투어 흙을 밀고 올라오는 새싹들은 제 몸이 흉기인 양 서로에게 들이밀고 있었다.

지금 생각해 보면 그렇게 대단한 일은 아니었다. 아버지가 시골에서 살 때 어떤 여자와의 사이에서 딸 하나를 낳았고, 그 딸이 장성해서 우리 집에 온 것뿐이었다. 물론 엄마 입장에서는 대단한 일일 수도 있었다. 자식들 입장에서도 나를 뺀 언니와 오빠는 여자의 존재를 이미 알고 있었고, 풍문으로 들은 배다른 형제가 눈앞의 실체로 존재하게 되어 마음속의 짐으로 자리 잡았을 수도 있다. 스무 살까지 키운 뒤에 새삼스레 서울 남자한테 시집을 보내 달라고 딸을 본가에 보내 혼란에 빠뜨린 그 여자의 엄마에 대한 미움 같은 것들이 식구들 표정에 깃들여 있을 수도 있었다. 그렇다 하더라도 이런저런 앞뒤 상황들을 전혀 몰랐던 11살짜리 계집애가 안방 문을 열고 휙 둘러본 것만으로 그날의 모든 장면과 대화들을 머릿속에 각인하게 된 것의 이유가 되지 못한다. 나중에 생각해 보면 그건 언니의 말과 행동 때문에 각인된 게 아닐까 싶다.

• • •

살림살이를 익히게 한다고 엄마가 그 여자를 여기저기 데리고 다니는 것을 툇마루에 앉아서 지켜보면서 오줌이 마려운 것처럼 내내 별로 살가운 사이도 아니고 좋아하지도 않는 언니가 퇴근하기를 기다렸다. 할머니와 그 여자, 아빠와 그 여자, 엄마와 그 여자 사이에서 발생하는 미묘한 분위기는 잡힐 듯 말 듯하다가 홀연히 사라져 버리는 아지랑이 같았다. 또한 칼같이 퇴근해서 그 여자를 흘깃 보고 자기 방으로 들어가는 오빠의 모습은 너무 무덤덤해서 무언가를 깊이 감추려는 것을 한눈에 알아챌 정도였다.

나는 마당으로, 안방으로, 부엌으로, 할머니, 아빠, 엄마의 눈치를 보면서 무언가를 캐내려고 종종거렸지만 아무것도 캐내지 못했다. 언니밖에 없었다. 감정에 솔직한 언니야말로 어떤 반응이 나올지 궁금했다.

"더티해."

언니는 그 여자와의 소감을 이 한마디로 해치웠다. 그 여자가 나에게처럼은 아니지만 언니에 대해서도 호의적인 미소를 띠며 인사를 했는데 언니 또한 나처럼 그 여자를 묵살했다. 나는 방문을 꽝 닫음으로써, 언니는 고개를 꼿꼿하게 세우고 바람처럼 그 여자의 곁을 휭 스쳐 지나침으로써 그 여자의 인사를, 다시 말하면 그 여자의 존재를 완벽하게 무시했다. 나는 언니와 같은 편임을 당당히 알리기 위해 언니 뒤를 졸졸 따라갔다. 내 기대를 저버리지 않고 언니는 마치 혼잣말인 것처럼, 그러나 다분히 내가 들었으면 하는 목소리로 중얼거렸다. 차마 그 여자 앞에서는 할 수 없었는지 방문을 닫음과 동시에 언니가 일성을 내지른 게 바로 더, 티, 해, 였다. 그 여자가 더티하다니. 그리고 곧바로 이어진 말.

"내가 재하고 동시에 배 속에 들어 있었다니, 도저히 참을 수 없어."

억울한 듯 두 주먹을 불끈 쥐고 발을 굴렀다. 언니가 알고 있는 영어 단어가 몇 개 없어서 택한 게 더티해, 일 수 있지만 언니의 감정을 충분히 대변하는 말이었다. 그런데 왜 더티해인가, 에 대해서 그 당시에는 이유를 알 수 없었다. 더티해가 무슨 뜻인지는 알고 있었다. 내가 한여름에 체육을 하고 와서 목에 새까만 땟줄이 그어져 있으면 언니가 내 목을 찰싹 때리며 아이, 더티해, 라고 말하곤 했다. 그러나 그 여자가 더티해라니. 더티해의 이중적인 의미가 너무나 궁금했지만 언니에게 곧바로 묻지 않은 것은, 뭔지 질문해서는 안 되는 어른들의 세계를 나타내는 금지어라는 것을 막연히 느꼈기 때문이다.

금지된 것들. 어른들의 세계로 아이들이 발을 디밀고 싶어 하는 금지 구역은 주춤거리는 그 순간 명확하지는 않지만 몸을 휘감는 아지랑이처럼 뿌옇고 아슴아슴한 형체를 느낄 수 있다.

더티해의 의미는 바로 다음 날 언니의 입을 통해서 알게 되었다.

"암내 때문에 한숨도 못 잤네!"

다음 날이 일요일이라서 출근을 안 하기 때문에 점심 먹을 때나 돼야 부스스 일어나는 언니가 식전부터 자기가 덮고 잤던 이불을 둘둘 말고 나와 마당 가운데서 털고 난리를 쳤다. 연탄을 난생처음 본 탓에 부엌에서 연탄과 씨름을 하던 그 여자, 마당에서 빨래를 널던 엄마, 용변을 보고 막 허리춤을 추켜올리던 할머니. 맨날 늦잠 자느라 지각을 하는 나는 일요일이면 이상하게 눈이 일찍 떠져서 툇마루에 걸터앉아 이 겉도는 광경을 고스란히 지켜보고 있었다.

엄마는 전쟁 통에나 기승을 부리던 벼룩과 이가 최근 쥐와 더불어 전국적으로 위세를 떨친다더니 혹시 당신의 큰딸을 물어뜯은 건 아닌지 빨래통을 내던지고 달려와 노안을 가늘게 뜨며 이불을 뒤적였다. 그러나 나는 언니가 내던진 비명을 똑똑히 들었다. 그건 바로 '암내'라는 말이었다. 어제의 '더티해'와 어쩐지 깊은 연관성이 있을 것 같았다. 더티해의 숨은 의미를 캐내지 못한 상태였고 두 단어는 한글과 영어로 서로 달랐음에도 둘의 유사성을 의심하지 않았다.

"엄마, 지금 뭐 하는 거야?"

언니가 신경질적으로 펼쳤던 이불을 두 팔에 감으며 인상을 찌푸렸다.

"벼룩 있다며?"

누구나 자기가 생각한 것을 믿게 되어 있다. 엄마는 언니가 벼룩의 ㅂ자도 입 밖에 꺼내지 않았는데도 이불을 터는 행위에서 평소 결벽증적인 딸이 벼룩 때문에 난리친다고 짐작한 대로 행동한 것이다.

"누가 벼룩 있대?"

"그럼 뭐가 있는데 아침부터 이 난리냐?"

언니는 처음 마당으로 이불을 들고 뛰쳐나왔을 때의 기세는 간 곳 없고 그제야 주변을 둘러보았다. 할머니와 그 여자는 엄마와 달리 언니가 입 밖으로 내뱉은 말을 똑똑히 들은 게 틀림없었다. 연탄집게에 매달린 연탄이 행여 떨어질세라 안절부절못하던 여자가 언니의 외침에 황급히 시선을 돌린 것이나, 화장실에서 시원하게 용변을 해결하고 평온한 표정을 짓던 할머니의 얼굴이 순간 일그러진 것이 그 증거였다.

"이불에 암내 뱄단 말야."

언니가 할머니와 그 여자를 곁눈질하며 엄마한테 소곤거렸다. 언니의 이 한마디에 엄마도 모든 것을 확연하게 꿰뚫었다.

"에효, 내 팔자야. 지 에미 닮아 그렇지."

할머니와 그 여자가 들으라고 그랬는지, 아니면 엄마가 당신의 신세가 한탄스러워서 그랬는지 모르겠지만 평소 언니의 까탈스럽고 결벽증적인 성격을 나무라던 엄마는 언니를 야단칠 생각은 않고 땅이 꺼져라 한숨을 내쉬면서 중얼거린 게 다였다.

"못 참을 만치는 아니구만, 사삭스럽게 그래쌌네."

할머니만 엄마 눈치를 보며 그 여자를 두둔했다. 엄마와 할머니와 그 여자, 셋의 시선이 얽히는 삼각 시선 릴레이가 처음 시작된 게 바로 이 순간이라고도 할 수 있다.

그 여자가 처음 우리 집에서 잔 날, 왜 언니는 그 여자와 같은 방에서 자는 것을 거부하지 않았는지 이해할 수 없다. 그때의 돈암동 집은 고압선집처럼 방이 달랑 하나 있는 것도 아니고 네 개 씩이나 있었다. 엄마 아빠가 같은 방을, 오빠와 언니가 각각 방 하나씩을 차지하고 있었고 내가 할머니와 같은 방을 쓰고 있었다. 그 여자가 하루 이틀 놀러 온 게 아니라 계속 우리 집에서 살기로 했다면 내가 언니 방으로 옮기고 그 여자가 할머니 방에서 잤어야 했다. 그러나 내가 할머니 방에서 일찍 잠들어 버리는 바람에 그 여자는 자연스럽게 혼자 쓰고 있는 언니 방에서 자게 된 것이다.

어른들의 부주의가 운명적 더티의 본질인 두 여자를 한방에 몰아넣는 결과를 빚었지만 얼마든지 언니가 거부권을 행사할 여지는 있었다. 비록 내가 그날 할머니 방에서 일찍 잠이 들어 버리긴 했지만 내가 들어 옮기기 무거운 책상도 아닌데. 추측하자면, 언니나 그 여자나 같이 자는 것을 거부함으로써 자신의 태생에 대한 더티함을 드러내 놓고 인정하기 싫었을 것이다.

이런 어른들의 부주의와 눈치 보기가 첫날부터 언니와 그 여자 사이에 깊은 골을 만들었다. 언니와 그 여자 사이의 태생적인 불온함에 대해 어른들이 성의 있게 대처했다면 막을 수도 있었을 텐데 불행의 씨앗을 키우는 꼴이 되어 버렸다.

암내와 더티는 그 여자를 상징하는 것이었다. 언니가 내린 정의는 내 마음속에 자리 잡고 있다가 더티라는 단어에 그 여자를 똥돼지 취급했고, 암내라는 명칭에서 풍기는 천한 느낌에 그 여자를 마음껏 경멸했다. 암내는 얼핏 맡으면 짬뽕이나 자장면에 딸려 나오는 양파처럼 톡 쏘고 매운 듯하면서도 달착지근한 냄새가 났다. 여자 곁을 지나치면서 바람결에 맡게 되면 무척 비위가 상했지만 시간이 조금 지나면 또 맡고 싶어지는 이상한 힘이 있었다. 그 냄새를 잊을 만하면 그 여자 곁을 스치면서 깊이 호흡해 여자를 경멸하는 내 자신을 정당화했다.

그런 여자가 나를 좋아해 준다면, 그리고 그것에 내가 화답을 한다면 나 또한 그 여자가 속해 있는 암내와 더티의 세계로 들어가는 것을 인정하는 꼴이 되어 기를 쓰고 거부했던 것 같다. 그러나 그건 비단 그 여자에게만 해당되는 것이 아니고 모든 어른 세계의 키워드임을, 어른이 된 후에야 비로소 알게 되었다.

그 여자 vs 엄마

그 여자를 아무렇지도 않은 척 식구들한테 인사를 시키면서 시앗의 새끼까지 거두는 의연한 본처 모습을 보였던 엄마는 곧 시름시름 앓기 시작했다. 감기 몸살 약에, 기를 보충한다는 한약을 지어 먹어도 엄마의 병은 차도가 없었다. 여자는 자신의 탓인 양 어쩔 줄 모르며 잣죽을 쑨다, 삼계탕을 끓인다, 혼자 부엌에서 동동거렸지만 엄마는 여자가 해다 준 음식은 입에도 대지 않았다.

며칠 후 엄마가 불렀는지 외숙모가 과일봉지를 들고 대문을 들어섰다. 외딸인 엄마가 친언니처럼 따르는 손위올케였다. 외숙모가 엄마의 손을 맞잡자마자 엄마는 어린애처럼 와앙, 울음을 터뜨렸다.

"아이고, 내 팔자야. 내가 뭔 죄가 많아 저것까지 키워야 한단 말이요."

외숙모는 혹시 '저것'이 차라도 들고 갑자기 들어올까 봐 방문을 흘깃거리며 불안해했지만 엄마는 아랑곳하지 않았다. 나는 배를 깔고 엎드려 숙제를 하는 척하며 엄마가 외숙모에게 삿대질을 해가면서, 혹은 귓속말로 들려준 이야기를 고스란히 들을 수 있었다. 엄마는 내가 발랑 까진 애가 아니고 발육이 늦으니까 무슨 말을 들어도 잘 이해하지 못할 거라고 생각했는지 숨김없이 털어놓았다.

언니가 막 돌을 지났을 무렵이었다. 아빠가 몇 달이나 무단 외박을 했다. 물론 언니가 태어날 때도 아빠는 또 다른 딸의 탄생을 지키느라 엄마 곁에 있지 못했다. 엄마는 아빠가 어떤 여자와 살림을 차렸다는 정황을 포착하고 그들의 거처를 수소문해서 쳐들어갔다. 언니를 결혼의 정당성을 입증해 줄 시위품목으로 들쳐 업고서였다.

"그렇게 될 때까지 사돈어른은 뭘 하신 거야? 어른으로서 딴살림 차린 아들을 따끔하게 혼내야 조강지처한테 돌아오지."

외숙모는 뛰어난 고수처럼 적절한 대목에서 장단을 맞춰 엄마의 감정을 돋웠다.

"말 마셔요. 시어머니라는 양반은 그년 이름 앞으로 올라 있는 논밭떼기 지 아들한테 코딱지만큼이라도 떼어 줄까 봐 투기하면 칠거지악이라고 오히려 저한테 걸핏하면 소리 지르고 엄포를 놓더라니까요."

"그럼 사돈어른 뜻대로 그 여자한테서 논 몇 마지기라도 받은 거야?"

외숙모의 목소리는 은근했다. 본가에서 돈 뜯어가는 첩 이야기는 들어 봤어도 첩이 본가에 논마지기 보태 준다는 이야기는 생전 들어 보지 못했기 때문이었다. 외숙모의 질문에 엄마는 내 공책이 팔랑거릴 정도로 콧방귀를 뀌었는데 그건 어떤 부정의 말보다도 위력적이었다. 외숙모도 할머니가 헛다리짚었음을 눈치챘다.

엄마는 숨을 고르고 이야기를 계속했다.

엄마가 딴 살림을 차렸다는 여자의 사립문을 열었을 때 기가 막힌 장면이 벌어지고 있었다. 마루에서 아빠가 어떤 남자와 바둑을 두고 있었고, 두 남자 사이에 한 여인이 흐뭇한 미소를 띠며 아기에게 젖을 물리고 있었다. 엄마가 기습적으로 쳐들어갔으니 연출된 상황이 아니라는 것이 엄마를 더욱 비참하게 만들었다.

엄마의 등에서 보채다 지쳐 잠에 곯아떨어진 돌쟁이 언니와 달리 또 하나의 아이는 제 엄마의 품에 안겨 한가로이 젖을 빨고 있었다. 엄마가 한눈에 척 보기에도 언니 또래인 돌 무렵의 계집아이였다. 여인의 흑단 같이 검게 빛나는 긴 머리는 수유에 방해될까 봐 젖을 물리지 않은 반대쪽 가슴에 늘어져 있었고, 양반다리를 하고 앉느라 아무렇게나 걷어 올린 통치마 아래 드러난 뽀얀 허벅지가 엄마의 시선을 어지럽혔다. 할머니의 징그러운 잔소리를 들으며 돼지족발을 세 개나 삶아 먹었건만 백일도 되기 전에 일찌감치 젖이 말라 버려 암죽을 먹어야 했던 언니와 달리 탱탱하게 불어 있는 젖통을 만지작거리며 충만한 표정으로 젖을 빨고 있는 계집애 또한 언니와는 비교할 수 없을 만큼 귀티가 흘렀다. 언니가 배고프다고 엄마의 등 뒤에서 찡얼거림으로써 자신의 존재를 알렸다. 엄마는 상대적으로 여인의 품에 안겨 평화롭게 젖을 빠는 계집애를 노려보았다.

바둑이 의미하는 평화로움. 포장이 안 된 덜컹거리는 시골길을 버스를 타고 한나절을 달려 당도한 곳에서 엄마가 발견한 것은 평화로움이었다. 그곳에서 아빠의 욕망을 보았다면 용서가 되었겠지만, 평화로움은 용서할 수 없었다. 평화로움은 본처의 몫이었다. 욕망이 뜨거운 만큼 빨리 식을 수 있지만, 평화나 위안은 쉽게 뿌리칠 수 없는 것이었다.

산후조리를 제대로 못한데다가 시어머니의 감시 아래 봄볕을 직광으로 받으며 밭일을 하느라 광대뼈 아래로 짙은 기미가 깔린 얼굴로 신선놀음 광경을 목도하니 울음이 엄마의 목울대를 치받쳐 올라오려 했다. 이 대목에 이르러서 엄마는 종일 밥 한 술 못 뜬 사람답지 않게 엉덩이를 들썩이며 삿대질을 했다.

"재 아버지가 누구랑 바둑을 두고 앉았는지 알아요?"

엄마의 삿대질이 느닷없이 나를 지목하는 바람에 나는 숨도 못 쉬고 되도 않는 산수 계산에 몰입하는 척해야 했다.

"하이고, 속도 없지. 그년 기둥서방하고 나란히 앉아 헤헤거리고 바둑 두고 있더라니까요."

"기둥서방이라니? 그게 또 무슨 소리야?"

"그러니까 박 서방 말고 또 다른 사내가 있었더라고요."

"별 흉측한 일도 다 있네. 우리 애기씨 맘고생이 여간 아니었네. 이거 열녀상이라도 줘야 하는 거 아냐?"

엄마가 가슴속 응어리로 뭉친 과거 이야기를 털어놓을 때마다 때론 한숨으로, 때론 고함으로 맞장구치던 외숙모가 이럴수록 정신을 차려야지, 대책 없이 드러누워 있다가는 딸을 본가에 스파이로 심어 놓고 올라와도 좋다는 호각 소리만 울리길 기다리는 에미라는 년이 쳐들어올지 모른다고 충고하고 돌아갔다. 외숙모의 처방이

효력이 있었는지 엄마는 그날로 자리를 털고 일어났다. 끝끝내 여자가 해다 바친 음식은 입에 대지 않아 할머니와 나만 입 호강을 했다.

• • •

외숙모가 다녀간 이후 몇 달의 세월이 흘렀다. 여자는 여전히 우리 집에 산다. 이제 엄마는 외숙모를 불러 하소연하거나 이불을 뒤집어쓰고 누워 있지 않는다. 여자가 해 준 음식을 잘 먹을 뿐만 아니라 생선 장사를 시작한 엄마에게 집안일을 전적으로 맡아 하는 여자는 없어선 안 될 보물이다. 그러나 여전히 여자가 태어난 건 시간과 공간을 초월한 비극의 씨앗이었다.

여자를 쳐다보는 엄마의 눈길이 예사롭지 않다. 그때 엄마가 외숙모한테 하소연할 때 이런 말도 했다. 그 말을 할 때 엄마는 삿대질도, 핏대도 올리지 않고 외숙모에게 바짝 다가앉으며 귓속말을 했다. 연필이 사각거리는 소리마저 방해가 될 정도로 은밀해서 글 쓰는 것을 잠시 중단해야 할 정도였다.

"숙자를 보세요. 어디 한 군데라도 박 서방을 닮은 데가 있는지. 짙은 눈썹에 쌍꺼풀진 큰 눈, 딱 그 기둥서방이라니까요. 내가 이 두 눈으로 똑똑히 봤잖아요."

기둥서방의 얼굴을 본 사람이 아무도 없어 증명할 수 없는 것이 안타깝다는 듯이 엄마는 검지와 중지로 자신의 두 눈을 찌를 듯이 가리켰다.

엄마가 그 여인의 집을 기습 방문한 이후 어떤 경로를 거쳐 아빠를 그 여인과 헤어지게 만들었는지 몰라도 엄마와 아빠는 오빠를 걸리고, 언니를 업은 채 무작정 상경했다. 그 후 목가적인 풍경의 한가운데서 귀티 나게 젖을 빨던 갓난아이가 다 큰 처녀가 되어 홀연히 우리 집에 나타나 식모 노릇을 하고 있는 것이다. 언니와 그 여자가 비록 갓난쟁이여서 기억을 못할지언정 마당을 사이에 두고 목가적인 첩과 살기등등한 본처로 대치해 있던 그 시절부터 배태된 불행의 씨앗은 뿌리를 내리고 싹이 자랐다. 20년이나 내밀하게 자랐으니 성목이 되었다고 해도 과장은 아닐 것이다.

삼각 시선 릴레이

할머니는 부채질을 하다 말고 멀리 보이는 눈물 모양 지붕을 향해 느닷없이 합장을 하더니 기도문을 중얼거리기 시작했다.

"우리 함씨 뭐하는 거여?"

그 여자가 할머니의 얼굴을 장난스럽게 들여다보며 물었다. 그 여자는 할머니를 함씨라고 불렀다. 만약 내가 할머니를 함씨라고 부른다면 버릇없는 년이라고 등짝 스매싱을 날리겠지만 그 여자한테는 한없이 관대하다.

"저것이 애비가 일하고 있는 거 머시냐, 아조 뜨거운 사막에 사는 사람들이 믿는 거시기 사원이라는 거 아니냐."

할머니는 아직도 이슬람이라는 말을 외우지 못했다. 머릿속으로는 뱅뱅 도는 이슬람이라는 단어가 혀를 통과하면서 뻣뻣해졌다. 나이가 들면 머릿속이 어떻게 생겨먹은 것인지 새로운 것은 도대체 바늘구멍만큼도 허용을 안 한다. 그래서 이슬람이라는 말을 할 때면 춘희할머니가 한 박자 노래를 늦게 부르듯이 한 박자 쉬고 '거시기 사원'이라고 불렀다.

"거시기 사원도 기도하믄 야튼간에 들어주시것재."

"할머니, 이슬람교는 합장하는 게 아니라 바닥에 양탄자를 깔아 놓고 무릎 꿇고 절하는 거야."

콧수염할아버지 집에서 본 대로 무릎 꿇고 절하는 시범을 보였다. 콧수염할아버지는 내가 심부름 갈 때면 방으로 들어오라고 해서 과자나 차를 주는데, 절을 하고 있을 때만큼은 별로 친절하게 대해 주지 않는다. 신에게 절을 할 때 누가 찾아오면 신에게 잘 보이기 위해서라도 더 친절하게 대해야 할 것 같은데 반대였다. 이슬람 신은 사람들에게 친절한 것보다 자기한테 집중하는 것을 더 좋아하는 것 같다.

"부처님한티 하는 절하고 똑같구마. 절이라는 것은 다 통한당게."

할머니는 은근히 부처님을 끌어왔지만 실은 콧수염할아버지에 대한 연정 때문에 이슬람식 절까지 따라 하는 것이다. 콧수염할아버지가 언제부턴가 춘희대폿집에 자주 들락거리는 것을 본 이후 할머니의 견제가 심해졌다.

콧수염할아버지가 춘희대폿집에서 처음 식사를 하게 된 것은 누구라도 빠지게 되어 있는 춘희할머니의 노래 때문이었다. 하루는 콧수염할아버지가 퇴근해서 90도계단을 오르려던 차에 한 박자 늦는 춘희할머니의 노래를 듣게 되었다. 처음 들은 건 아니었지만 부슬부슬 비가 내리는 그날따라 콧수염할아버지는 고향 생각이 나서 그냥 202호로 올라갈 수 없었다. 이 부분에서 할머니는 콧방귀를 뀌었다.

"꼬리 아홉 달린 구미호가 따로 없당게. 살랑살랑 알랑방구를 뀌면서 좋아하는 고기 있어요? 구워 드릴게요, 하는 꼴상이라니."

할머니는 안 어울리는 서울 말투로 춘희할머니가 콧수염할아버지를 유혹하는 장면을 재연했다. 할머니와 춘희할머니의 나이 차이가 네 살밖에 나지 않는데도 보는 사람마다 열 살 이상 차이 나게 보았으며 심지어 할머니가 이모 되느냐는 소리까지 들어서 약이 오를 대로 오른 것이다.

콧수염할아버지는 자신의 종교는 술도 금하고, 돼지고기도 금하기 때문에 돼지곱창을 먹을 수 없다고, 초대는 감사하지만 노래만 듣고 가겠다고 사양했다. 춘희할머니는 자신의 장기인 교양이 넘치는 찰진 목소리로, "걱정하지 마세요. 그 정도는 기본으로 알고 있죠. 양꼬치를 해 드릴게요. 매운 것 못 드시면 간장양념만 해서 안 맵게 해 드리고요."라고 청했다. 춘희할머니의 교양 넘치는 목소리에는 누구도 지게 되어 있다. 오죽하면 할머니의 호통이 맥을 못 추겠는가.

이렇게 해서 춘희대폿집에 정식으로 초대받은 콧수염할아버지가 연탄불에 구운 양꼬치를 맛보고는 감동해서 천장까지 뛰어올랐다는 전설이 전해졌다. 그 이후론 고향이 그립거나 폭격 맞은 가족이 생각나면 춘희대폿집으로 달려갔다. 할머니는 춘희할머니를 향해 돼지고기를 양고기라고 속여 종교마저 무너뜨리게 만든 천하의 몹쓸 구미호라고 음해를 했지만 콧수염할아버지는 자신을 위해 애쓰는 춘희할머니의 정성에 감복했다.

그 뒤로 할머니는 애용하던 요강을 멀리하고 꼬박꼬박 변소를 핑계로 내려가서 대폿집을 기웃거렸다. 그리고선 콧수염할아버지와 춘희할머니가 나란히 마주 앉아 주거니 받거니 양꼬치를 먹는 광경을 보고 질투심에 눈이 뒤집혔다. 당신과 겨우 네 살밖에 차이 나지 않는 늙은 여자가 무려 여섯 살 연하남과 있는 것을 보고는 분노가 극에 달했다. 절뚝거리며 90도계단을 올라와 온갖 욕을 퍼붓던 할머니는 또 조금 지나면 참지 못하고 소피가 마렵다면서 내려갔다. 질투의 속성이 현장 확인이라는 것을 할머니는 몸으로 증명했다.

• • •

"근디, 함씨 뭔 기도를 하는디?"

할머니가 내가 가르쳐 준 방식으로 열심히 기도를 하는 것을 보고 그 여자가 물었다.

"나가 기도를 하믄 뭣을 하겄냐. 나 죽지 말고 장수하라고 빌겄냐, 이 나라 통일되라고 빌겄냐. 다 자식들 잘되라고 하는 것이재."

그 자식들 중에 과연 나도 들어 있을까. 아빠는 일등일 것이다. 큰아들인 아빠를 한국전쟁 때 징집당할까 봐 뒤주에 숨겨서 참전은 면했는데 전쟁이 끝나고 군회피자로 수배령이 내려서 꽤 오랫동안 지방을 떠돌았다고 들었다. 이스라엘 국민들은 전쟁이 나면 다른 나라에 뿔뿔이 흩어져 있다가도 조국을 지키기 위해 전쟁에 참여한다는 사실을 선생님한테 들었을 때 부끄러웠다. 역사라면 관심도 없지만 사도세자가 '뒤주'에 갇혀 죽었다는 선생님 설명에 귀가 번쩍 뜨였다. 할머니가 무용담처럼 아빠를 뒤주에 숨겨 전쟁에서 목숨을 건졌다는 말을 귀가 따갑도록 들어 왔기 때문이다. 사도세자는 아빠인 영조대왕에게 죽음을 당하기 위해 뒤주에 갇혔는데, 아빠는 목숨을 구하기 위해 숨어 있었다. 아빠는 어두운 뒤주에 숨어서 무슨 생각을 했을까.

그러나 할머니는 당당하다. 당신이 큰아들의 생명을 구해 준 은인이라며 생색을 냈다. 할머니가 아빠에게 해 준 것 중에서 가장 잘한 것이 두 가지 있는데 하나는 공부를 시키지 않은 것이고, 또 하나는 뒤주에 숨긴 것이라고 했다. 뒤주에 숨기지 않았다면 아빠의 사촌처럼 한국전쟁에서 전사해 국립묘지에 안장되었거나, 월남전에 참전한 육촌처럼 한쪽 다리가 없는 상이용사가 되었을 것이라고 했다.

고향에서 먹물깨나 먹었다는 사람들은 모두 붉은 머리를 써서 월북하거나 처형당했다고 했다. 먹고살기 힘들 때여서 아빠는 국민학교도 제대로 못 보냈는데 공부를 안 시켜 붉은 머리를 쓰지 않았기 때문에 살아서 할머니에게 효도하는 것이라고 했다.

내가 붉은 머리가 무엇이냐고 할머니에게 물었더니 붉은 머리가 뭐긴, 붉은 머리지, 라는 답이 돌아왔다. 오빠가 있었으면 붉은 머리가 무슨 뜻인지 곧바로 들었겠지만 9급 공무원인 오빠는 동사무소로 출근하고 없었다. 항상 명쾌하게 대답을 해 주는 춘희할머니에게 물었더니 아무 말도 않고 눈시울을 붉혔다. 어른들이 울려고 하면 나는 어찌해야 할지 모르겠다. 나는 대답도 듣지 못하고 그냥 고압선집으로 올라올 수밖에 없었다. 그리고 나중에 춘희할머니와 할머니가 붉은 머리라는 말 때문에 대판 싸운 뒤에 춘희할머니가 왜 그렇게 눈시울을 붉혔는지 알게 되었다.

• • •

할머니의 기도 대상 2등은 당당하게 오빠가 차지할 것이다. 장성 셋을 연달아 탄생시키고, 딸 따위는 배 속에 넣어 본 적이 없는 할머니와 달리 엄마는 오빠 이후 딸만 줄줄이 탄생시킨 변변찮은 인간이었다. 그나마 장손인 오빠를 낳아서 대역죄인을 면했다. 당신의 제사를 모셔 줄 유일한 장손이기에 오매불망 오빠의 건강만을 걱정했다. 늘 오빠에게 우리 대주, 우리 대주해서 대주가 무슨 뜻이냐고 물었더니 대주가 뭐긴, 대주지, 라는 대답이 돌아왔다.

그다음은 누굴까? 지 몸뚱이 하나 챙기는 것밖에 모르는 언니는 아닐 거고, 씹다 뱉은 대추 같은 나는 더욱 아닐 거고, 지 서방 알기를 발가락의 때만큼도 안 여기는 며느리는 더더욱 아닐 것이다. 틀림없이 그 여자일 것이다. 지 에미와 뚝 떨어져 계모 눈치 보며 식모살이로 고생하는 그 여자는 할머니의 가슴속 한가운데 깊이 벌어진 상처였다. 할머니의 역할은 뚫린 독을 막아 주는 생쥐이자, 마차로 변하는 호박이자, 왕자와의 결혼을 성사시키는 유리구두였다. 그러나 할머니는 요술쟁이가 아니기 때문에 요술을 부릴 수는 없고, 주로 계모를 감시하는 역할을 했다.

엄마가 그 여자를 노려보면 그 여자는 할머니에게 무언의 도움을 요청하는 불쌍한 시선을 보내고, 할머니는 엄마를 견제하는 시선을 쏘아 보냈다. 세 명의 시선이 물고 물리는 애증 어린 삼각 시선 릴레이가 흥미롭게 펼쳐지는 것이다. 고양이가 자기 꼬리를 물고 뱅뱅 도는 광경을 보는 것처럼 재미있기도 했다.

세 사람은 자신들이 밀고 당기는 시선의 그물망이 얼마나 끈적하게 얽히고설키는지 자각하지 못했다. 여자를 태어나게 만든 장본인인 아빠는 말할 것도 없고, 언행일치를 인간 품성의 제일 덕목으로 꼽는 오빠, 입바른 소리 잘하는 언니 앞에서 자신들의 행동이 노출되는 것을 두려워하는 할머니와 엄마는 그들이 90도계단을 내려가는 소리가 점점 멀어짐에 따라 행동의 급작스런 변화를 보였다.

어제도 그런 날 중의 하나였다. 엄마 눈앞으로 두 개가 나란히 붙은 연탄을 든 여자가 급한 발걸음으로 지나갔다. 아직 불씨가 남아 있는 연탄은 위에, 모두 타 버려 하얗게 재가 된 연탄은 아래에 달려 있었다. 시골에서는 장작을 땠기 때문에 연탄이라는 것을 서울에서 처음 본 여자는 어떻게 다뤄야 하는지 쩔쩔 맸다. 19개나 되는 연탄구멍의 위아래 두 짝을 일시에 맞춘다는 것을 도저히 이해하지 못했다. 아빠의 너덜너덜하게 떨어진 러닝셔츠를 뭉쳐서 불구멍을 막아 놓으면 새까만 생 연탄 그대로 꺼져 버리고, 조금만 열어 두면 모조리 화르르 타 버려 하얀 재만 싸늘하게 남는 연탄의

드라마틱한 생리를 이해하지 못했다. 할머니와 엄마가 동시에 시범을 보여도 여자는 매번 허둥댔다. 연탄집게의 교차점에 있는 고정못마저 헐거워 손의 예민한 감각에 의존해 운반해야 하는 상황이어서 숙련자가 아닌 여자가 걸핏하면 연탄을 떨어뜨려 깨는 건 당연했다.

그런 여자의 일거수일투족을 엄마는 세세히 노려보았다. 오종종한 키에 각진 턱과 째진 눈에서 강인한 성격이 드러나는 우리 형제들과 달리 길게 뻗은 다리에 금세 눈물을 쏟을 듯 서글서글하게 쌍꺼풀진 눈, 글래머인 몸매도 얄밉다. 외숙모에게 하소연하던 기둥서방의 모습을 떠올렸는지도 모른다. 여자가 들어온 이후 우리 집이 망한 것 또한 불길하다. 모두 저 재수 없는 년 때문이라는 눈빛이다.

시간을 추적해 보면, 재작년에 할머니가 상경했고 올봄에 그 여자가 느닷없이 쳐들어왔고, 달동네로 이사 온 게 여름이 막 시작될 무렵이었으니 엄마에게는 할머니가 등장하기 전의 돈암동 시절이 가장 행복했던 시기였다. 말 한마디에 쌍지팡이를 짚고 나서는 시어머니도, 계모의 타이틀을 안겨 준 그 여자도 없었다. 무엇보다 엄마는 오롯이 집에서 애들 키우고 살림만 하는 팔자 편한 '여편네'로 살았다.

엄지발가락에 무명실을 걸고 양손가락을 교묘하게 이용하여 화장이 잘 받도록 이마에 난 잔털을 제거한다든지, 양산을 쓰고 창경원을 배경으로 사진을 찍었다. 그 사진에는 상고머리를 한 어린 내가 한껏 막내 티를 내면서 엄마 손을 붙들고 있다. 동네 친한 아줌마들과 모여 수다를 떨다가 밀가루 반죽을 밀어 칼국수를 해먹는, 팔자 편한 여편네들이나 하는 호사를 누린 것은 금세 끝나 버렸다. 다시 집을 장만하려면 10년을 고생해야 할지 20년을 고생해야 할지 이가 갈리고 분통이 터졌다. 원인을 제공한 그 여자가 물과 상극이라는 고압선 아래 수돗가에서 매일 물에 손을 담그고 있는데도 왜 감전이 안 되는지 신기할 뿐이다. 귀신은 뭐하느라 안 데려가나 째려보았다. 그런 엄마를 할머니의 시선이 불안하게 뒤좇았다. 삼각 시선 릴레이가 시작된 것이다. 긴장의 끈을 먼저 자른 건 할머니였다.

"숙자야, 연탄은 불구멍을 맞춰야 쓴다고 에미가 알아들을 만치 씨부렁거렸쌌등마는, 귀 뒀다 엿 바꿔 먹으려고 그러는 거시냐, 뭐시냐. 그만큼 했으면 알아들었을 것이구만."

할머니의 설레발에 엄마는 여자에게 향했던 시선을 슬그머니 거두고 이복 딸을 감내하는 희생적인 여인의 표정으로 돌아갔다.

"쟈가 그러고자파 그러겄냐. 태어나서 연탄 귀경을 첨으로 했다 안 하냐. 이짝 구녕을 맞추면 저짝이 어긋나고 저짝 구녕을 맞추면 이짝이 어긋나니, 쟈도 환장할 노릇이재."

엄마는 감정이 충분히 누그러진 상태에서 방광을 비우기 위해 90도계단으로 내려갔다. 그 틈을 이용해 할머니는 부리나케 여자의 등 뒤로 가서 달래기 시작했다.

"저 유세 떠는 꼴 보기 싫어서 내가 콱 죽어야 쓰겄는디, 인명재

천인 것을 어찌 맘대로 하겄냐. 그러니 니가 참아라잉."

할머니는 모든 일의 해결점 끝에 당신이 죽어야 된다는 앞뒤 안 맞는 결말을 갖다 붙이는 습관이 있었는데 오늘처럼 뜻밖의 효과를 볼 때도 있었다. 여자가 갑자기 "함씨 죽으믄 나도 칵 죽어 버릴랑게."라며 할머니 품에 안긴 것이다. 오빠만 편애하고 맨날 언니와 나를 구박한다고 미워했던 할머니를 누군가는 따뜻한 할머니라고 좋아한다는 것이 이해되지 않았다. 자신의 품에 안긴 그 여자의 등을 토닥이는 할머니의 모습 또한 내가 알던 매몰찬 할머니가 아니었다. 내 시선에 비친 그 여자와 그 여자의 시선에 비친 우리 가족의 모습은 너무도 다른데, 우리가 한 가족이라는 사실이 나는 영 낯설었다.

손이 닿는다는 건

더위가 절정에 달했다. 늦은 저녁까지 아빠와 오빠의 등목하는 물소리가 고압선집에 울렸다. 오빠는 뒤로 생기는 게 솔찬하다는 아빠의 충고를 받아들여 전문대학을 졸업하자마자 머리를 싸매고 공부해서 9급 공무원이 되었지만 곧바로 7급 공무원 시험을 준비하고 있었다. 뒤로 생기는 게 솔찬하지도 않을뿐더러 하급공무원의 비애를 일찌감치 터득해서 7급에 붙은 후에는 5급에 도전한다는 원대한 계획을 세워 놓았다. 그러나 재작년에 이어 작년에도 떨어진 오빠는 세 달밖에 남지 않은 시험공부 때문에 허약함이 극에 달해 부실한 장손의 건강을 염려하는 할머니의 애간장을 녹여 놓았다.

아빠가 몸을 수건으로 닦고 있을 때 할머니가 고압선집으로 올라왔다. 풀이 죽어 있었다. 효자인 아빠가 할머니에게 달려가 얼굴을 들여다보며 물었다.

"어머니, 어디 편찮으세요? 안색이 안 좋으신데요."

"암시랑도 안혀."

말은 그렇게 하면서도 시멘트턱에 앉는 모양새가 바람 빠진 풍선 같았다.

"우리 함씨, 또 돈 잃었고만."

그 여자가 빨래를 개면서 말했다.

"그게 무슨 소리야?"

아빠가 놀라서 그 여자에게 물었지만 그 여자는 할머니 눈치를 보고 입을 다물었다.

"아빠, 할머니요, 춘희할머니네서 화투 쳐요."

내가 고자질했다. 할머니는 요 망할 년, 하는 눈빛으로 나를 노려본 뒤 "할망구들이 그냥 재미로 치는 것이여, 고것이 치매에도 좋다등마."라며 방으로 들어갔다.

춘희할머니는 불타는 곱창 솜씨만 유명한 게 아니라 이태원에서 화투 고수로도 유명했다. 유달산 홍단이라는 별명을 가지고 있던 할머니도 이사 온 날의 패배와 콧수염할아버지를 빼앗긴 치욕을 만회하기 위해 춘희할머니에게 도전장을 내밀었다. 초장에는 할머니 화투패가 끗발을 날렸지만 어느 순간부터 야금야금 할머니 쌈짓돈이 춘희할머니 주머니로 들어가기 시작했다. 아빠에게 이런저런 거짓말로 손을 벌리기 시작했을 때는 이미 돌이킬 수 없는 지경이 되었다.

"물장사 하는 할망구를 믿은 나가 잘못이재. 이 동네서 짜한 타짜더구마. 아조 콩밥을 멕이야 쓴디, 맴이 너른 나가 참아야재."

춘희할머니가 멤버 중 한 명과 짜고 쳤다는 것이다. 춘희할머니와 화투를 쳐서 돈도 잃고 유달산 홍단이라는 명예도 잃은 할머니가 약이 올라 경찰이니, 콩밥이니 운운하면서도 도박의 속성이 그렇듯이 본전 생각에 손을 못 털고 있는 것이다.

밤이 깊어지자 엄마가 떨이에서 처분하지 못한 생선이 담긴 다라이를 옆구리에 끼고 무거운 발을 이끌며 고압선집에 올라왔다.

"생선 손질 좀 해 놔라. 그리고 어머니 생태 아가미 가져왔어요."

엄마가 여자에게 생선 다라이를 떠넘기고 머리를 감기 시작했다. 엄마는 몸 구석구석에 생선 냄새가 배었을 테지만 오늘도 머리만 감았다. 냄새에 민감한 내가 엄마에게 "엄마 샤워 안 해?"라고 물으면 욕실이 따로 없으니 부엌에서 물을 받아 놓고 해야 하는 것을 두고 "이 식구들 많은데 어떻게 해? 너희들 다 잠들면 할 거야."라고 말하지만 우리 모두가 잠들기 전에 엄마가 먼저 곯아떨어져 버리기 때문에 매번 샤워를 하지 못했다.

할머니가 신문지를 깔고 젓갈 만들 준비를 했다. 오늘처럼 아빠가 좋아하는 생태 아가미를 모아 온 날은 젓갈을 만드는 할머니의 쌍칼질 소리가 더욱 리드미컬했다. 혀처럼 단단하면서 붉은 술이 달린 아가미는 은은한 백열등에 담금질된 칼빛의 힘으로 다져졌다. 도마 주위에 깔아 놓은 신문지는 할머니의 칼질에 핏방울 같은 아가미 조각들이 튀어 금세 피범벅이 되었다. 그 현란한 붉은 핏빛은 비린내를 누를 정도로 강렬했다. 입에 힘을 주어 한쪽 입술 끝이 올라간 할머니의 볼갗은 칼춤 추는 무당처럼 달아올랐다. 할머니가 유일하게 알고 있는 노래인 '유달산아 말해다오, 말을 해다오……'의 가락에 맞춰 도마질을 했다. 춘희할머니에게 돈도 잃고 콧수염할아버지도 빼앗겼지만 노래만큼은 질 수 없다는 듯이 간드러지게 꾸민 목소리로 불렀다.

내장 손질을 마친 여자는 치마 끝을 말아 가랑이 사이에 끼고 생선을 씻기 시작했다. 엄마는 머리를 감고 나서 아까 벗어 두었던 목수건에 비누칠을 해서 문질렀다. 쪼그리고 앉은 엄마의 엉덩이가 들썩일 때마다 백열등 불빛에 오렌지색으로 반사된 비누거품이 엄마의 손등에 난 무수한 칼자국을 가려 주었다.

엄마가 세숫대야에 수건을 흔들어 헹굴 때는 여자가 바가지로 물을 퍼서 생선을 씻고, 엄마가 수건을 헹구느라 바가지를 사용할 때 여자는 고등어를 채반에 건졌다. 나는 뒤에서 두 사람이 바가지를 서로 차지하느라 손이 부딪치길 조마조마하며 지켜보았지만 손의 어디에 눈이 달려 있는지 절대 그런 일은 일어나지 않았다. 예의를 갖춘 두 여자의 무언의 질서를 백열등만이 조용히 비추고 있었다.

위문편지

파도가 부르는 여름입니다. 소라껍질에 귀를 대고 파도 소리를 듣고 싶습니다.

나는 위문편지의 첫머리를 이렇게 시작한 것에 만족했다. 언니의 명문장만 모아 놓은 수첩에서 베낀 문장이었다. 몇 번을 읽어 봐도 멋졌다. 여기저기 참견하러 다니느라 매일매일이 고단한 할머니와 장사에 지친 엄마는 코를 골고 자고 있었다. 언니는 그 여자 때문인지 언니 말대로 정말 회사 일이 산더미처럼 밀려서인지 여자가 우리 집에서 산 이후로는 일찍 퇴근한 적이 별로 없었다. 그 여자와 한 밥상에서 밥을 먹고, 한방에서 같이 자야 한다는 것을 더욱 견딜 수 없어 했다. 암내와 더티의 피할 수 없는 운명의 소용돌이 속으로 내던져진 유일한 희생양인 양 오만상을 찡그리고 다녔다. 화장은 점점 진해졌고, 스커트의 길이는 날로 짧아졌으며, 술 냄새를 풍기며 이불 속으로 들어오는 일이 잦아졌다. 할머니나 엄마는 곯아떨어져서 이런 흉한 꼴을 볼 기회가 없었다.

"위문편지 쓰니?"

여자가 무릎걸음으로 다가오며 물었다. 나는 첫날 그 여자의 인사를 방문을 꽝 닫아 거부한 것처럼 온몸으로 편지지를 가려 거부의사를 밝혔다. 그러나 여자는 단박에 내가 위문편지를 쓴다는 것을 알아챘다. 계모 집에서 살면서 나날이 발전하는 것은 눈치였다.

나를 예뻐하는 게 더 약이 올랐다. 오빠나 언니에게는 말도 함부로 못 걸고 쩔쩔매는 것과 달리 나는 어리다고 무시하는 거다. 할머니가 달팽이도 밥 주는 주인은 알아보고 따른다고 하던데 그 여자는 내가 아직 어리니까 밥만 주면 달팽이처럼 자기를 따를 것이라고 믿는 거다.

안녕하세요. 저는 서울 이태원 국민학교 4학년 8반 박영미라고 합니다.

나는 계속해서 편지를 써 나갔다.

"우리 시통이 위문편지 답장은 받아 보았니?"

지겨운 저 '우리 시통이'. 게다가 내 약점까지 건드리다니. 나는 매년 위문편지를 보냈지만 단 한 번도 답장을 받아 본 적이 없다. 맞춤법도 엉망이고 나라를 지켜 주시는 고마움에 보답하기 위해 열심히 공부한다는 상투적인 내용만 늘어놓는 재미없는 위문편지에도 답장이 오는데, 세계명작 소설에서 발췌한 글을 주로 싣는 내 위문편지에는 왜 답장이 오지 않는지 자존심이 상했다.

서울에서 성공했다고 소문난 아버지를 찾아오던 시골의 먼 친척 중 한 사람이 책 외판원이었다고 한다. 마음 약한 아버지는 엄마의 잔소리를 각오하고 36권짜리 세계명작소설 전질을 할부로 떠안았다. 고압선집으로 이사 올 때 그 책을 청계천 헌책방에 내다 팔 것인지 고민하다가 결국 가져오기로 했는데 그 이유는 거의 새 책에 가까워서였다. 새 책인 이유는 오빠도 언니도 읽지 않아서인데, 아이러니하게도 그것이 책을 팔지 않고 가져오는 이유가 되었다. 단칸방이라 놓을 자리가 없어서 책상과 책장은 버리면서도 책은 가져오는 기이한 현상을 연출했지만 막살림 가운데서 하드커버로 된 번듯한 전집은 이삿짐의 품격을 높여 주는 유일한 물건이었다.

나는 그 책들을 의미도 잘 모르면서 읽어 댔다. 도스토옙스키의 '죄와 벌'이나 톨스토이 같은 러시아 작가부터 헤밍웨이의 '누구를 위하여 종을 울리나', 데미안의 알을 깨고 나오는 아프락사스 같은 것들. 묵직한 주제나 캐릭터의 내밀한 심리 같은 것은 이해하지도 못했고, 스토리에 빠져든 것도 아니었다. 무슨 뜻인지도 모르면서 그냥 무턱대고 읽었다. 엄마는 내가 발육이 늦고 멍 때리고 있을 때가 많지만 그래도 책을 보고 있을 때면 얘가 인간 구실을 못하지는 않겠구나, 맘을 놓은 듯했다. 엄마의 그런 따뜻한 시선이 좋아서 더욱 열심히 책을 읽어 댔다.

"그럼 이번에는 기대해……"

여자가 잠자는 티셔츠로 갈아입느라 다음 말이 뭉개졌지만 거기에 신경 쓸 겨를이 없었다. 두 팔을 엇갈려 셔츠의 아랫단을 붙들고 머리 위로 훌러덩 벗겨 내는 여자의 옷 벗는 방식은 한쪽 팔을 차례대로 벗긴 후 마지막으로 목에 걸린 옷을 벗는 우리 자매의 방식과는 달랐다.

"옷 벗는 것도 촌티를 낸다니까."

언니의 말에 수긍을 했지만 이 순간만큼은 집중해서 여자를 지켜봐야 했다. 안 그러면 눈 깜짝할 사이에 티셔츠를 갈아입기 때문에 여자의 풍만한 가슴을 볼 수 없었다. 나는 매일 밤 여자가 잠옷인 낡은 티셔츠로 갈아입는 순간에 여자의 가슴을 엿보기 위해 흘깃거렸다. 앙상하게 도드라진 어깨뼈에서 급한 경사를 이루며 팔로 떨어져 봉긋 솟을 여지가 없는 우리 자매의 가슴과 달리 여자는 통통하고 둥근 어깨 아래 바가지 두 개를 엎어 놓은 것처럼 크고 탄력 있는 가슴이 달려 있었다. 식사 시간에 커다란 쟁반에 밥그릇과 국그릇을 아슬아슬하게 쌓아 방으로 옮기곤 했는데 그럴 때 여자는 팔은 갖다 대기만 할 뿐이고 가슴으로 드는 것처럼 보였다. 팔이 아니라 가슴에서 힘이 나오는 것처럼 상상됐다.

"무식한 게 원래 젖통만 큰 법이야."

언니는 입을 삐죽이며 비웃었지만 언니나 나나 별로 유식하지도 않은데 가슴은 호떡처럼 납작한 이유를 모르겠다. 여자의 암내를 발현하는 기관이 존재한다면 큰 가슴 어느 한 귀퉁이 작은 공간일 것이다. 비록 언니에 의해 욕처럼 각인되었고 천한 여자로 규정지어진 암내지만 에미 닮아서 그렇지, 라는 엄마의 체념 한가운데, 무식한 게 젖통만 큰 법이야, 라는 언니의 비웃음 한가운데는 분명 시기와 질투의 그림자가 배어 있었다.

한 남자도 제대로 건사하지 못한 엄마는 기둥서방과 아빠, 두 남자를 거느리며 그들로부터 각자 만족스러운 미소를 제공받았던 여인에 대한 시기와 질투를 넘어선 선망이 자리 잡고 있었다. 나 또한 여자의 큰 가슴 어딘가에 작은 풍선 같은 것이 있어서 풍선이 묶인 자리에서 조금씩 공기가 새나오듯이 암내가 새나오고 이 냄새를 맡은 남자들이, 할머니가 말한 사내를 홀리는 마법의 매력을 발산하는 게 아닌가 추측한 것이다. 그래서 매일 밤 여자의 가슴을 보면서 암내가 담긴 풍선은 어디쯤일까, 추리하며 힐끗거렸다.

• • •

위문편지의 마지막 문장으로 '작렬하는 태양 아래서도 항상 용기를 잃지 마세요. 그 용기에 저희의 꿈이 무럭무럭 자란답니다.'로 맺고 나니 흡족했다. 특히 언젠가 소설책에서 읽은 작렬이라는 어려운 단어를 골라낸 내 자신이 대견스러웠다.

책가방을 싸 놓고 이불 속으로 들어갔다. 그 여자는 배를 깔고 엎드려 무엇인가를 들여다보고 있었다. 여자는 할머니와 엄마가 잠들고 나면 꼭 무엇인가 펼쳐 놓고 끼적거렸다. 나는 그게 무엇이라는 것을 이미 알고 있어서 관심 없는 척했다. 여자는 중학교 검정고시를 준비하고 있었다. 스무 살의 나이에 국민학교만 졸업했다니, 언니가 매일 여자한테 무식한 게 어쩌고 했던 걸 이해할 것 같았다.

문제를 잘 풀고 있는지 슬쩍 들여다보니 여자는 검정고시 문제지가 아니라 어떤 사진을 들여다보고 있었다. 내가 들여다보는 낌새를 눈치채고 여자가 사진을 온몸으로 가렸다. 내가 온몸으로 가렸어도 여자가 위문편지라는 것을 단박에 알아챈 것처럼 여자가 사진을 온몸으로 가렸어도 그 여자 엄마라는 것을 단박에 눈치챘다. 엄마는 그 여자가 기둥서방을 닮았다고 외숙모에게 소곤댔지만 사진 속의 눈이 큰 여인은 그 여자와 판박이였다.

그리고 사진 옆에 놓인 편지지에는 '어머님 전상서'라고 적혀 있었다. 너무 촌스럽다. 이 여자는 옷 벗는 것도 촌스럽고, 가슴이 큰 것도 촌스럽고, 편지 쓰는 것도 촌스럽다. 입으로는 한 치의 망설임도 없이 계모인 우리 엄마한테 엄니, 엄니 하면서 매일 밤 식구들이 잠들면 자기 엄마 사진을 가슴에 품고 눈물을 흘리고 있었다.

여자는 엄마보다 오히려 아빠를 더 어려워했다. 엄마라는 호칭은 우리 집에서 살게 된 다음 날부터 막힘없이 나왔는데, 아버지라고 부르는 것은 아직 한 번도 들어 본 적이 없었다. 언니는 여자가 엄마를 엄마라고 부르는 걸 보고 "변죽도 좋아."라고 입을 삐죽였다.

엄마는 그런 여자의 본색도 모르고 너무 피곤해서 말려 올라간 입술을 크게 벌리고 눈은 가늘게 실눈을 뜨고 잠들어 있었다. 언젠가 언니가 "너는 엄마처럼 실눈 뜨고 자더라, 무섭게."라고 말한 적이 있다. 내가 잠든 내 모습을 볼 수 없어서 훌렁 까진 윗입술이 코에 달라붙을 듯이 입을 크게 벌리고, 귀신 염탐하듯이 실눈을 뜨고 잔다는 사실이 끔찍했지만 어쨌든 엄마의 딸이라는 것을 입증하는 그 순간만큼은 나를 안심시켰다.

얼마 전에 할머니의 친척 되는 평리아짐이 우리 집에 왔다가 그 여자와 나를 번갈아 보더니 아니, 숙자랑 영미가 좀 닮았네, 라며 뭔가 비밀스러운 웃음을 흘린 적이 있었다. 할머니는 "아이고, 뭔 사람 잡을 소리!"라며 말꼬리를 잘랐지만 나는 그 속에 깃들인 사람들의 불순하고 갈증 나는 호기심을 읽었다. 그래서 못생긴 엄마를 닮았다는 말이 나에겐 그 어떤 말보다 칭찬이었다.

그 여자가 사진을 가린 채 방바닥에 코를 박고 있는 상황이 어색해서 변소에 가려는 것처럼 엉거주춤 일어났다. 평소 같으면 우리 시통이, 변소 가려고 어쩌고 할 법도 한데 자기 엄마 사진을 보다가 들킨 것이 민망해서 고개만 숙이고 있었다. 그것도 얄미운 생각이 들어 이불을 박차고 밖으로 나왔더니 오빠가 시멘트 턱에 앉아 먼 데를 바라보고 있었다.

"안 자고 왜 나와?"

"그냥. 이런저런 생각할 게 있어서."

"쪼그만 게 뭘 생각할 게 있다고. 학교생활은 재미있어?"

나는 고개를 저었다.

"재미없어?"

고개를 또 저었다.

"흠."

오빠가 하늘을 올려다보았다. 까만 하늘에는 날렵한 초승달이 떠 있고 초승달의 휘어진 안쪽에 밝은 별 하나가 얹혀 있었다. 마치 별이 초승달에 등을 기대고 앉아 있는 것 같았다.

"오빠, 저 별과 달 너무 예쁘지? 한 쌍 같아."

"예쁘네. 모하메드가 첫 계시를 받았을 때 초승달과 별이 저런 모양으로 함께 떠 있었다고 해. 그래서 이슬람사원에는 초승달과 별이 걸려 있는 거야. 우리 시통이가 오늘 그 의미를 알았으니까 앞으로는 자주 볼 수 있을 거야. 아는 만큼 보이는 거거든."

오빠에게 의미를 듣고 보니 한 쌍의 초승달과 별이 더 아름답게 느껴졌다. 사람들 보는 눈은 다 비슷한가 보다. 내가 아름답다고 느낀 걸 그 옛날 이슬람교를 만들던 사람들도 신비하다고 생각했던 거 보면.

"좋아하는 남자 친구 있니?"

나는 또 고개를 저었다. 전교회장인 함철훈을 짝사랑한 적은 있지만 사내 녀석들은 나에게 눈곱만큼도 관심이 없었다. 그게 억울해서 아예 누군가를 짝사랑하는 마음도 없애 버렸다. 학교 화장실 벽에 전교부회장인 최남희와 함철훈이 뽀뽀를 했다는 낙서를 보고 최남희가 사색이 되어서 낙서를 쓴 범인을 찾아다닐 때 얼마나 부러웠던지. 성이 함가여서 함박꽃이라는 별명을 가진 함철훈은 공부도 잘하고, 얼굴도 잘생기고, 아빠가 변호사여서 부자인데다가 웃을 때는 정말 함박꽃처럼 벙실 피어나 모든 여학생들이 좋아했다. 그런 함철훈과 뽀뽀했다고 쓴 범인을 꼭 찾아내겠다고 화를 내는 최남희가 부럽기만 했다.

최남희와 달리 함철훈은 낙서에 대해 빙그레 웃을 뿐 함구했는데 그게 함박꽃이 최남희를 좋아한다는 확실한 증거라고 여자애들은 수군거렸다. 사실 최남희도 최남희 아빠가 건축가여서 한남동에 직접 지은 으리으리한 집에 사는 부자였다. 둘이 잘 어울리는 한 쌍인 건 확실했다. 몇 달 전 잡지를 보다가 내 또래 남자애가 활짝 웃으며 주스를 마시고 있는 광고를 보고 마음이 흔들리긴 했다. 내가 좋아할 수 있는 남자는 잡지나 텔레비전 드라마에 나오는 남자애라는 사실이 슬펐다.

"우리 집이 생선 장사를 한다는 것을 알아도 여자가 나를 좋아할까?"

오빠의 목소리가 울적했다. 이제야 알았다. 오빠가 공무원 시험 날짜가 얼마 남지 않았는데도 일찍 집에 들어와서 방황하는 이유를. 오빠가 좋아하는 여자가 있는데 우리 집이 가난하다는 것을 아직 밝히지 않은 것이다. 나는 그 여자가 되어 오빠의 사랑 고백을 받은 것처럼 어쩔 줄 몰라 무릎에 고개를 묻었다.

"오빠는 이번에도 틀린 것 같구나."

오빠가 한숨처럼 말했다. 시험을 틀렸다는 건지, 연애가 틀렸다는 건지 알 수 없었다. 여자가 자기 엄마 사진을 보느라 켜 놓은 방에서 흘러나오는 불빛에 고압선의 흉물스런 그림자가 어른거렸다. 문득 고압선을 넘어가 옥상 난간에서 팔짱을 끼고 아득한 어둠 아래를 내려다보고 싶었다. 그때 춘희대폿집에서 춘희할머니의 노랫소리가 어둠을 타고 올라왔다.

우울려고 내가 왔던가, 웃을려고 와았던가……

젓가락 장단보다 한 박자 늦는 춘희할머니의 목소리가 어두운 곱창 연기 속으로 흩어졌다.

엄마 학교에 오시라고 해

엄마는 나를 죽이려 들 것이다. 정말 재수가 없는 날이다. 가슴이 터질 거 같다.

종례가 끝나고 선생님이 내 이름을 부르더니 교무실로 내려오라고 했다. 나는 육성회비를 안내서 혼나는 것이 아닌가 벌벌 떨면서 내려갔다.

"위문편지 속에 이상한 게 들어 있어서 부른 거야."

선생님은 내가 어제 심혈을 기울여 쓴 위문편지를 꺼냈다. '파도가 부르는 여름입니다'로 시작해서 '작렬하는 태양 아래서도 용기를 잃지 마세요'로 끝나는 멋진 편지를 다 외우고 있을 정도인데 이상한 거라니?

선생님은 내가 언니한테 훔친 두 남녀가 실루엣으로 머리를 맞대고 있는 연분홍 편지지 외에 다른 편지를 꺼냈다. 하얀 바탕에 검정 줄만 그어져 있는 편지지였다. 그 여자가 어젯밤 자기 엄마에게 어머님 전상서 어쩌고저쩌고 썼던 것과 똑같은 편지지였다. 동그라미를 과장되게 크게 쓰는 그 여자의 필체가 틀림없었다.

우리 막내 별명은 시통이며, 시통이는 공무원인 오빠가 읽는 세계명작소설을 술술 읽는 똑똑한 아이이고, 그림에도 재능이 있어서 미술대회에서도 일등을 도맡아 한다고 적혀 있었다. 집안이 갑자기 망해서 엄마가 장사를 나가는 어려운 환경 속에서도 시통이는 꿋꿋하게 공부 열심히 하면서 학교 다니고 있다고 내가 밝히고 싶지 않은 부끄러운 우리 집 내력까지 모두 적혀 있었다. 마지막에는 우리 시통이가 아직 위문편지 답장을 한 번도 못 받아 보았으니 이 편지를 받는 군인아저씨는 꼭 답장을 해 주어서 동생의 소원을 풀어주시면 너무 고맙겠다는 내용이었다.

내 굴욕적인 별명인 시통이를 밝힌 것도 모자라서 우리 집이 망했다는 것도 떠벌렸다. 세계명작 소설책을 읽는 것은 사실이지만 그림이라면 교실 뒤에도 걸리지 못하는 젬병인데 선생님이 얼마나 비웃었을까. 자신의 희생으로 선의를 베푸는 거라고 착각하는 사람들이 있다. 그런 선의가 때로는 악의보다 못하다는 것을 모른다. 오히려 순진한 표정으로 '어머, 그랬니? 나는 너 좋으라고 한 거야.'라면 할 말이 없어진다. 어젯밤 내가 잠든 뒤에 답장을 부탁하는 편지를 써서 내 위문편지 안에 같이 넣어 놓은 것이다. 옷을 벗으면서 "이번에는 기대해……."라고 했던 말이, "이번에는 기대해도 좋아."였나 보다. 이런 짓을 꾸미려고 했던 말이었다.

"언니니?"

"……."

아빠가 다른 데서 낳아 온 딸이라고 말할 수는 없었다. 그렇다고 친언니라고 내 입으로 인정할 수도 없었다. 나는 목에 칼이 들어오면 거짓말을 하는 사람이지만 친언니라는 것을 인정하기는 죽어도 싫었다. 선생님은 내가 대답을 안 하는 게 부끄러워서라고 믿고 두 개의 편지지를 함께 봉투에 넣었다.

"언니가 영미를 참 사랑하는구나."

사랑 좋아하네. 윗입술이 들리면서 실룩였다.

"그냥 보내도 될 거 같다. 혹시 아니? 정말 언니가 노력한 보람으로 위문편지 답장이 올지."

그 여자가 쓴 편지를 달라고 해서 찢어 버리고 싶었지만 그랬다가는 언니의 성의를 무시하는 나쁜 동생이 될 거 같아서 참아야 했다. 그 자리에서 도망치고 싶어서 막 돌아서서 나오려고 하는데 선생님이 "잠깐, 또 할 말이 있어."라며 검정장부를 꺼냈다. 검정장부의 내 이름 칸에는 ×표가 끝없이 표시되어 있었다.

우리 반은 매주 토요일이면 '암행어사놀이'라는 이상한 이름의 설문조사를 했다. 숙제를 안 해온 애, 수업시간에 떠드는 애, 준비물 안 챙겨 온 애를 적어 내게 해서 검정장부에 기록했다. 선생님이 육십 명이 넘는 아이들을 세세히 관찰할 수 없으니 아이들이 스스로 암행어사가 되어 변사또 같이 문제가 있는 아이들을 찾아내 선도하겠다는 게 목적이었다. 그러나 우리는 대부분 자기 마음에 안 들거나 사이가 안 좋은 애 이름을 적었다. 지난주 설문 조사 내용은 '실내화를 신고 운동장에 나간 애'였다. 나는 누가 그런 짓을 하는지 관심도 없고 알지도 못했지만 청소 시간에 내 얼굴에 더러운 걸레를 집어던졌던 연정이를 써 넣었다. 나뿐만 아니라 대부분의 아이들이 설문에 대해 사실대로 적지 않고 복수의 수단으로 삼았다. 전학 온 지 얼마 안 되고, 못생기고 가난하고 공부도 못하는 내 이름을 애들이 적는다는 것을 선생님은 모른다.

"여기 보이지? 네가 가위표를 제일 많이 받았어. 성적도 바닥이고 아무래도 엄마하고 상담을 해야 할 거 같다. 엄마 학교에 오시라고 말씀드려."

인사를 하고 교무실을 나왔다. 다리가 후들거렸다. 엄마를 학교에 오시라고 하는 것도 큰 문제이고 선생님이 그 여자를 언니로 알고 있다는 것도 큰일이었다.

교실 밖에서 나를 기다리던 명숙이가 내가 어두운 표정으로 깊은 생각에 잠긴 것을 보고 팔짱을 끼며 내 얼굴을 들여다보았다.

"영미야, 왜 그렇게 시무룩해?"

"그냥. 기분이 별로 안 좋아."

"내가 재미난 거 보여 줄게. 기분 풀래?"

나는 고개를 끄덕였다. 뭔가 신나는 걸 본다면 기분이 좋아질 거 같기도 했다. 학교에서 나와서 성당을 지나고 아톰 문방구를 지났다. 시장과 태평극장으로 가는 갈림길이 나왔다. 엄마는 고압선을 조심하라고 했을 때보다 더 펄쩍 뛰며 절대로 태평극장 쪽으로 가면 안 된다고 했다. 명숙이가 내 팔을 끄는데도 내가 더 이상 가지 않고 걸음을 멈추자 명숙이가 어딘가를 가리켰다.

"저 가게 보이지?"

모든 간판들이 영어로 쓰여 있어서 무엇을 파는 가게인지 알 수 없지만 어쨌든 조그만 가게들이 따닥따닥 붙어 있었다. 그 가게 문은 대낮인데도 하나같이 닫혀 있었고 다니는 사람들도 없었다. 시장에서 들려오는 소음과 우리가 걸어 내려왔던 학교 쪽의 어수선함에 비하면 너무 조용해서 뭔가 불안정해 보였다. 간판에 얼기설기 엮여있는 전깃줄과 그 전깃줄을 감당하고 있는 전봇대들만이 그 텅 빈 골목을 채우고 있었다.

"저기 핫걸이라는 간판 보여?"

명숙이가 가리킨 곳이 저녁에 네온사인이 켜지면 핫걸이라고 보일지 몰라도 밝은 대낮에는 그저 전선줄이 어지럽게 얽혀 있는 지저분한 간판일 뿐이었다.

"나 저기 가 봤어. 핫걸 언니들하고 친해."

"핫걸 언니들?"

"저기 언니가 우리 불타는 곱창 단골이거든. 저기 가면 핫걸 언니들 예쁜 드레스를 입어 볼 수 있어."

"드레스?"

"응. 빤짝이가 막 달려 있고, 어깨에 가느다란 끈이 있는 예쁜 드레스야."

"핫걸 언니네 집에 놀러 간다고? 춘희할머니도 알아?"

"헤헤. 몰래 가면 되지. 핫걸 옆에 작은 골목 있지? 거기로 올라가면 게이바가 엄청 많아."

"게이바? 그게 뭔데?"

"여자가 되고 싶어 하는 남자들이 여자처럼 화장하고 드레스 입고 남자들한테 술을 파는 데야."

"정말?"

"내 말 거짓말 아니야."

명숙이는 사람들이 자신을 거짓말쟁이라고 부르는 것은 할머니가 대폿집을 해서라고 믿었다. 그래서 친구들이 명숙이의 성인 변을 따서 변소간, 혹은 곱창의 곱을 따서 배꼽, 눈곱이라는 별명보다 거짓말쟁이라고 부르면 더 화를 냈다.

"게이바도 구경시켜 줄까? 핫걸 언니한테 말하면 데려가 줘."

궁금하고 가 보고 싶었지만 고개를 저었다.

"우리 엄마가 알면 엄청 혼날 거야. 절대 이쪽 동네로 가지 말라고 했거든."

"나는 엄마가 없어서 할머니한테 혼나. 할머니는 엄마가 아니니까 혼나도 괜찮아."

명숙이가 시무룩하게 말했다.

나는 금지의 골목을 오래 바라보았다. 네온사인이 꺼진 그곳은 화려한 곳이 아니라 내가 살고 있는 달동네보다 더 황폐한 골목이었다. 개 한 마리, 사람의 그림자조차 얼씬거리지 않는 죽음의 골목이었다. 나는 이곳을 빨리 벗어나고 싶었다. 그렇지 않아도 선생님이 엄마를 호출했는데 이쪽 동네에서 얼쩡거리는 걸 엄마한테 걸리면 끝이다. 내가 한숨을 쉬고 걸음을 떼자 명숙이가 내 얼굴을 들여다보며 말했다.

"기분 안 풀렸어?"

"응. 실은 학교에서 일이 있었어."

나는 암행어사놀이 사건을 얘기했다. 그 여자가 위문편지 넣은 사건은 얘기하지 않았다.

"니가 정말 걱정하는 게 엄마를 학교에 모시고 와야 하는 것 때문이야?"

명숙이 말에 뜨끔했다. 혹시 그 여자가 위문편지 넣은 것을 알고 있나?

"다른 이유가 있을 게 뭐가 있는데?"

"엄마가 학교 오면 생선 냄새 나서 선생님이랑 반 애들이랑 너희 생선 장사하는 거 탄로 나서 창피한 게 아니고? 그래서 네가 학교 다닐 때 시장으로 안 다니는 줄 알았거든."

명숙이는 그동안 내가 엄마를 피하기 위해 지름길인 시장을 놔두고 먼 길로 돌아서 학교 가는 이유를 알고 있었다. 앙큼했다. 지금은 바로 코앞이 시장이었다. 엄마가 생선 장사하는 걸 창피하게 생각하지 않는다면 시장 안으로 당당히 걸어 들어가야 한다. 명숙이가 나를 빤히 쳐다보았다. 나는 내 마음을 들키지 않으려고 더 당당하게 시장 안으로 걸음을 떼었다. 명숙이도 신발주머니를 돌리며 따라왔다. 미군들이 좋아하는 알록달록한 이불들이 무지개떡처럼 쌓여 있는 이불 가게를 지나, 슬쩍 건드리기만 해도 무너질 것처럼 지그재그로 얽혀 있는 돼지 족발집을 지나, 붉은 전등 아래 쇠고기와 돼지고기가 즐비하게 걸려 있는 푸줏간을 지나 비록 모가지는 잘렸지만 배 속만은 보여 줄 수 없다는 자존심으로 튀김닭이 납작하게 엎드려 있는 미순이네 튀김가게를 지났다. 드디어 허씨 아저씨 닭가게 앞에 도달했다. 엄마는 이 닭가게 앞에서 노점상을 하고 있었다. 권리금이 비싼 자리인데, 우리 형편이 어렵다는 것을 알고 공짜로 가게 앞 한 귀퉁이를 내줬다고 한다. 그런 훌륭한 부모라서 서울대 다니는 아들이 있다고 엄마가 칭찬한 닭가게였다.

다행히 엄마는 손님과 흥정하느라 나를 못 봤다. 엄마 손에는 물구나무를 선 꽁치가 들려 있었다. 꽁치는 푸른 눈을 똑바로 뜬 채 입을 뾰족하게 내밀고 있었다. 꽁치의 눈에 비친 세상은 투명하고 푸를 것이다. 동태의 눈에 비친 세상은 뿌옇게 흐릴 것이다. 두 눈이 나란히 붙어 있는 가자미에게 세상은 온통 겹쳐진 어떤 것들이다. 생선들이 바라보는 세상은 서로 다를 것이다. 내 눈에 비친 세상은 이유를 알 수 없는 부끄러움이다. 튀길 수 있는 것은 가리지 않고 뭐든 튀겨 주는 튀김집 딸 미순이는 나처럼 부끄러워하기는커녕 친구와 선생님에게 자신의 처지를 당당히 밝히고 학교 끝나자마자 가게 일을 도와 효행상도 받았다. 그런데 나는 왜 모든 게 다 부끄러운가.

손님은 엄마의 열성적인 품평에 꽁치 아가미도 들쳐보고 배도 찔러 보다가 다음에 사겠다고 돌아섰다. 엄마는 돌아선 손님을 향해 작게 욕을 하더니 생선들을 정돈했다. 더러운 전대가 생선에 닿을 정도로 허리를 구부리고 한 손으로 능숙하게 줄을 세우고 물을 뿌렸다. 그사이 나는 재빨리 엄마를 지나쳤다. 내가 명숙이에게 보이려고 했던 자만심은 후회로 남았다. 그렇지만 명숙이는 내가 시장통으로 들어온 이유를 잊은 듯이 하루 있었던 일을 쫑알거리며 일러바쳤다. 명숙이는 자기 기분 내키면 온갖 아양을 떨며 "너 참 예쁜 거 알아?" 혹은, "나도 너처럼 쌍꺼풀 없으면 귀여울 텐데.", "너 없었음 난 정말 불행했을 거야." 따위의 말을 콧소리로 했다. 내가 평생 마음만 먹을 뿐 입 밖으로 꺼내기 쑥스러워하는 마음을 흔드는 말들을 명숙이는 아무렇지도 않게 했다. 할머니는 차돌맨치로 뺀들뺀들하게 닳은 명숙이와 놀지 말라고 하지만 나는 명숙이의 이런 투명함이 부러워 명숙이의 손을 꼭 잡았다.

비밀의 금

"어? 아리랑 택시네."

춘희대폿집 앞에 노란 택시가 정차해 있는 것을 보고 명숙이가 말했다. 길에 다니는 일반택시들은 초록색 포니였다. 노란 택시는 처음 봤다. 이 동네는 참 특이한 게 많은 동네였다.

"아리랑 택시가 뭐야?"

"양갈보들이 타는 택시야."

명숙이가 말하면서 2층을 올려다보았다. 미미가 학교에서 돌아오는 우리 둘의 모습을 커튼 사이로 내려다보고 있었다.

"옛날에는 미미 엄마가 큰길까지 내려가서 택시를 잡아탔는데 걸어가는 동안 동네 꼬마들이 갈보, 갈보, 왕갈보, 까만 쥐새끼 흑갈보라고 놀리는 바람에 아리랑 택시 타는 거야. 저건 집 앞까지 대절할 수 있거든."

그러면서 흑갈보는 미미를 가리키는 것이라고 비밀스럽게 일러주었다. 그 정도는 나도 짐작하고 있었다.

그때 하이힐 소리가 또각또각 울리더니 미미 엄마가 재빨리 아리랑 택시에 올라탔다. 미미 엄마는 저녁에 텍사스촌에 있는 술집으로 출근하기 때문에 늦게 일어났다. 우리들이 학교에서 오는 시간에는 한참 자고 있을 시간인데, 이 시간에 택시를 불러 타고 나갈 정도면 무슨 급한 일이 생긴 모양이었다.

"가방 놓고 빨리 내려와. 눈물 모양 사원 만들어야지."

내가 자꾸 미미가 내다보고 있는 창문을 흘깃거리자 명숙이가 춘희대폿집 쪽문으로 들어가며 말했다.

"알았어."

90도계단을 올라가다 미미네 집 철문에 귀를 대 보았다. 아무런 소리도 들리지 않았다. 나는 문을 똑똑 두드렸다. 그때 명숙이가 계단을 올려다보며 빽 소리를 질렀다.

"집에 안 가고 뭐해?"

"응. 알았어."

방에 가방을 내려놓고 타일이 들어 있는 봉지를 꺼내는데 그 여자가 나를 부르더니 컵을 내밀었다. 우유미숫가루라는 이상한 음료였다. 내가 발육이 부진하다고 걱정하는 엄마의 마음을 귀신같이 눈치 채고 이런 이상한 음료수를 제조해서 엄마의 환심을 사려는 의도이다.

여자가 내민 우유미숫가루를 단숨에 마시고 컵을 놓으면서 트림을 했다. 이런 내 모습에 여자가 만족스러워하는 것을 알고 있어서 트림까지는 안 하려고 애쓰지만 이상하게 우유미숫가루를 먹고 나면 점심 도시락 이후 별로 먹은 것 없는 빈속이 요동을 치면서 꺼억, 트림이 나왔다. 저 여자 때문에 엄마가 학교에 불려가게 된 걸 따지려다 며칠 동안 눈물 모양 지붕 사원을 못 만들어서 마음이 급

했다. 나는 검정 봉지를 손목에 걸고 90도계단을 미끄럼을 타고 내려갔다.

셔터가 내려져 있는 대폿집은 어둑했다. 춘희할머니는 화투를 치러 갔는지 보이지 않았다. 홀 구석 커다란 다라이에는 새벽시장에서 떼어 온 손질하지 않은 곱창이 들어 있었다. 동물의 창자라는 게 믿어지지 않을 만큼 예쁜 연분홍이었다. 투명하고 예쁜 분홍의 곱창이 찰랑이는 물에 담겨 있어서 집어 올렸더니 곱창만 줄줄이 따라 올라왔다. 물은 전혀 없었다. 곱창 옆에 달라붙은 기름 덩어리 때문인지, 미끄덩거리는 창자의 탱탱한 육질이 빈틈없이 밀착되어서인지 신기하게도 투명한 물이 가득 들어 있는 것처럼 보였다. 연분홍의 투명한 내장과는 이질적으로 곱창 누린내가 희붐한 어둠 속에서 떠돌고 있었다. 연탄불에 지글지글 구워져서 술 취한 막노동꾼의 내장을 가득 채운 뒤 남은 동물성의 누린내와 아직 가공되지 않은 짐승의 생생한 내장은 전혀 다른 빛깔과 질감을 가지고 있었다. 나는 발로 다라이를 툭 치고는 방문을 열었다.

명숙이는 잡지책을 들여다보고 있다가 내가 문을 열자 후다닥 뭔가를 숨기는 척했다. 명숙이는 늘 내가 쪽방문을 열 때쯤이면 미국 여자들이 알몸으로 이상한 자세를 취하고 있는 잡지를 펼쳐 놓고 보고 있을 때가 많았다. 춘희할머니 몰래 핫걸 언니들 집에 놀러 갔을 때 훔쳐 온 것임에 틀림없다.

나는 그 잡지를 끌어당겨 보고 싶다는 호기심이 끓어올랐지만 단 한 번도 보여 달라고 한 적도, 곁눈질을 한 적도 없다. 위선 속에 욕망을 감추는 법을 일찌감치 깨닫고 있었다. 아버지의 무능함을 교묘하게 비웃는 엄마와, 성실함에 가려진 엄마의 그악스러움과, 찢어지게 가난하다는 것을 기필코 숨기려는 언니와 오빠의 태도 속에서 배웠다. 그 여자가 우리 집에 합류하면서 온갖 위선의 행동들을 익히게 되었다. 내가 어떤 사람인지 보다는 어떻게 가장한 것인지가 내 가치를 결정했다. 가족이나 다른 사람들로부터 좋은 평가를 받고 사랑을 받기 위해 위장된 행동을 하는 것이 이익이라는 것을 알고 있었다. 내 안에는 나 아닌 무수한 타인이 깃들어 있어서 가끔 내가 아닌 나가 되는 경우가 많았다.

잡지책을 일부러 숨기는 척하는 것도 내 호기심을 끌어내기 위한 명숙이의 잔꾀이다. 그러나 내가 전혀 호기심을 보이지 않으면 명숙이는 펼쳐 놓은 채로 선심 쓰듯 목마르다며 방을 나갔다. 명숙이가 방문에 달린 쪽유리창을 통해 내가 잡지를 훔쳐보는지를 염탐했는지, 정말 목이 말라 물만 먹고 왔는지 모르겠다. 나는 호기심을 누르고 끝까지 그 잡지에 곁눈질도 주지 않았다. 뒤꼭지를 끌어당기는, 쪽유리창으로 명숙이가 나를 훔쳐보고 있지 않다는 것을 확인하고 사진을 실컷 들여다보고 싶다는 욕망을 나는 차가운 위선으로 덮어 버렸다.

• • •

명숙이가 이슬람사원의 모형이 들어 있는 커다란 상자를 끌고 오는 동안 나는 타일을 꺼냈다. 이슬람사원을 짓는 것은 더디게 진행되었다. 타일의 무게 때문에 하나를 잘못 내려놓기만 해도 며칠 애써서 쌓아 놓은 타일이 도미노처럼 힘없이 무너져 버렸다. 아빠에게 타일본드도 갖다 달래서 본드로 붙여 나가면서부터 모형은 꽤 그럴듯하게 형태를 만들어 가고 있었다.

"여자 거기에는 구멍이 두 개 있대. 하나는 오줌 나오는 데고, 하나는 애기 나오는 데. 그거 알아?"

"아니, 몰라."

나는 엄마가 시장 계원들과 주고받던 뭔가 간질간질한 이야기라는 것을 직감했지만 조금 전 잡지에 관심 없는 척한 것과 똑같이 반응했다.

"애기 나오는 구멍에서 한 달에 한 번씩 여자들 생리가 나오는 거야."

하루는 엄마가 부엌에 뭔가를 찾으려고 들어갔다가 찬장 뒤에 숨겨져 있던 여자의 생리혈이 묻은 천뭉치를 발견했다. 엄마는 여자를 혼낼 구실을 잡았다. 바로바로 빨지 않고 이게 뭔 보물단지라도 되는 듯이 모셔 놨느냐고, 그 뭉치들을 꺼내 와서 마당에 집어던지며 소리를 질렀다. 식구들이 몰려들어 여자의 그것을 보았다. 바랜 생리혈은 백열등 불빛에 비쳐 바짝 마른 장밋빛이었다. 엄마는 소리를 지르다가 문득 정신을 차린 듯이 주섬주섬 다시 챙겨서 부엌으로 들어갔는데 오빠의 눈빛 때문이었다. 고압선 너머 먼빛을 바라보다가 소동을 고스란히 지켜본 오빠의 눈빛은 바랜 핏빛보다 더

검붉었다.

“내 말 거짓말 아냐.”

내가 대답이 없자 명숙이가 내 얼굴에 자신의 얼굴을 바짝 들이대며 말했다.

“누가 거짓말이래?”

“우리 반에 필자 있잖아. 걔는 시작했대.”

“생리를?”

“응. 너는?”

“난 아직이지.”

“헤헤. 나도 올겨울부터 시작했어. 우리 반에는 딱 두 명뿐이야.”

“벌써?”

“응. 머리 좋은 애들은 빨리 하는 거래.”

스스로 머리 좋다고 위안을 삼는 명숙이의 의견을 반박할 수는 없었다.

“궁금하지? 보고 싶지?”

나는 궁금했지만 이럴 때일수록 침착해야 한다.

“어디서 볼 수 있는데?”

“바보. 어디서 보긴, 나는 니 꺼 보구, 너는 내 꺼 보면 되지. 여기 누워 봐.”

내가 눕자 명숙이가 내 바지를 벗겼다. 순간 내가 목욕한 지 며칠 지났다는 것을 알았다. 날씨가 이렇게 더운데, 내 몸에서는 이 방에 배어 있는 곱창 누린내보다 참을 수 없을 것이다. 나는 바지춤을 움켜쥐었다. 내 표정이 어떨지는 잘 모르겠다. 울상만 아니었으면 좋겠다. 빼드렁니를 씰룩거리며 우는 표정은 정말 흉하다.

"걱정 마. 내가 먼저 보고 이따가 너한테도 내 꺼 보여 줄게. 그럼 공평하지?"

명숙이는 내가 바지춤을 움켜쥐고 있는 걸 다른 뜻으로 해석했는지 웃음을 터뜨렸다. 누워서 바라본 명숙이는 참 예뻤다. 눈꼬리에 눈물점을 머금은 커다랗고 까만 눈은 반짝이고 코는 높은 편은 아니지만 동그랗고 콧구멍이 작아 귀엽다. 난 정말 못생겼다. 얼굴은 검고, 턱은 각지고, 눈은 째졌다. 난 사람들 눈에 잘 띈다. 예쁜 사람들보다 못생긴 사람들이 더 눈에 잘 띈다. 그 사실을 사람들은 잘 모르는 것 같다.

"아이, 냄새."

명숙이가 코를 쥐었다. 부끄럽다. 나는 얼른 팬티를 끌어당겼다. 더 이상 냄새나는 내 몸을 보여 줄 수는 없다. 그 정도의 자존심은 있다. 내가 요구하지 않았는데도 명숙이는 벌렁 눕더니 자신의 바지를 내렸다. 명숙이의 출생신고가 늦게 되어서 우리보다 두 살 많다는 말이 사실인 것 같았다. 밋밋한 나와 달리 명숙이의 그곳은 터럭이 옅게 깔려 있었다.

명숙이가 두 살 많다는 말은 엄마가 시장에서 주워들은 소리라서 믿지 않았다. 텍사스촌에 어디서 흘러온지 알 수 없는 과부가 딸을 데리고 춘희대폿집이라는 가게를 열었다. 점점 소문이 나서 누린내 나는 스테이크에 질린 양색시들이 매콤한 맛의 곱창구이를 먹으며 단골이 되었다. 고등학생이던 딸이 양색시들을 언니 언니 하며 따르는 사이 아가씨가 되었고, 어느 날 정말 양색시들을 따라 어딘가로 사라졌다.

장사도 폐업하고 딸을 찾아 나섰던 춘희할머니는 딸을 못 찾은 건지 아니면 찾았지만 딸이 집으로 돌아오길 거절했는지 홀로 돌아왔다. 몇 년 후 머리를 노랗게 물들인 딸이 아장아장 걷는 계집아이를 들쳐 업고 춘희할머니를 찾아왔다. 두 살이 되도록 출생신고도 하지 않고 키우던 딸을 맡겨 놓고 떠난 부분에 대해서는 시장 사람들의 의견이 분분하다고 했다. 어떤 사람은 양색시가 된 딸을 춘희할머니가 내쳤다고도 했고, 또 어떤 사람은 에미가 돼서 그럴 리가 있냐고, 애기만 맡겨 놓고 또 도망쳤다고도 했다.

"명숙이를 자세히 보면 튀기 같지 않냐? 명숙이 엄마가 흑인하고 사는 것을 본 사람이 있대나 봐. 원래 튀기가 이쁘거든. 미미도 그렇고 명숙이도 봐라. 얼마나 이쁘냐."

엄마가 감탄한 것처럼 명숙이는 정말 예뻤다. 그러고 보니 피부가 약간 가무잡잡한 게 흑인 혼혈인 것도 같다. 아무하고나 헤헤거리며 친해지는 명숙이가 유독 미미에 대해서만은 새쭉거리면서 무시하고 상대도 안 하는 것을 보면 확실한 것 같다. 내가 엄마를 피해 시장통을 돌아가듯이, 명숙이는 미미를 피해 다닌 것이다.

명숙이가 곱창을 먹으러 온 양색시들하고 한마디라도 나눌라치면 손님들이 가고 난 후 춘희할머니한테 매를 맞는다는 것을 알고 있었다. 춘희할머니는 손녀마저 양색시가 될까 봐 미리 가까이하지 않도록 하는 것이다. 이 사실을 확인해 보고 싶은 마음도 있지만 그러지 않았다. 명숙이가 그 여자에 대해 묻지 않듯이 우리는 부끄러운 것에 대해 서로 묻지 않을 만큼 이해했다.

명숙이는 내가 계속 들여다보고 있는데도 바지를 입을 생각을 하지 않았다. 그리곤 내가 만진 것도 아닌데 뭐가 우스운지 간지럼 타는 애처럼 갈갈 웃었다. 나는 발딱 일어섰다. 명숙이가 펼쳐 보던 이상한 잡지 속 여자의 얼굴을 명숙이에게서 언뜻 보았다. 나는 무서웠다. 도망치듯 쪽방문을 열고 나오다가 돌아본 명숙이는 애처롭게 나를 바라보고 있었다. 명숙이의 그 눈빛과 명숙이 머리맡에 놓여 있던 이슬람사원의 푸른 무늬가 겹쳐진 영상은 나를 죄의식이라는 변형된 형태로 묶어 버렸다. 죄의식과 욕망은 명숙이의 애처로운 눈빛과 이슬람사원의 푸른빛으로 왜곡되어 나타났다.

• • •

세계명작소설을 보면, 비밀을 알게 된 주인공들은 시련을 당하거나 갑자기 정신적으로 성장하거나 무언가 변화를 겪었다. 그러나 내가 여자 몸의 비밀을 알고 고압선집으로 올라왔지만 변한 건 아무것도 없었다.

오빠는 아직도 엄마가 생선 장수라는 사실을 여자 친구에게 털어놓지 못했는지 도서관에도 안 가고 정시에 퇴근해서 고민이 가득한 얼굴로 천장을 바라보고 누워 있었고, 아빠는 모래짐에 혹사당하고 땀을 흘린 등을 할머니 손에 맡긴 채, 아, 시원타, 아, 시원타, 하며 등목을 하고 있었고, 여자는 힘과 암내가 솟아나는 원천인 가슴에 쟁반을 받쳐 들고 열심히 저녁 식사를 부엌에서 방으로 나르고 있었다.

"밥 먹게 씻어라."

할머니가 수돗가를 비워 주며 말했다. 세숫대야에 물을 받았다. 손톱 밑이 새까맸다. 한 손으로 다른 쪽 손톱 밑을 파며 비누로 문질렀지만 구두약 같은 검은 기름때는 지워지지 않았다. 어디서 묻은 거지? 그 여자처럼 연탄을 간 것도, 김칫거리를 다듬느라 흙이 박힌 것도 아닌데. 냄새를 맡아 보았다. 비누 냄새밖에 안 났지만 코로 킁킁거리는 순간 어떤 한 장면이 선명하게 머릿속을 스쳐 갔다.

명숙이가 내 거기를 들여다보고 있을 때, 나는 만세를 부르고 있었다. 손을 어디에 놓을지 몰랐다. 차렷을 하자니, 명숙이 허벅지에 닿았고, 옆으로 뻗자니 시체처럼 보일 것 같았다. 아랫도리를 벗은 시체는 흉측하다. 그래서 만세를 불렀다. 아랫도리를 벗고 만세를 부르는 것도 흉측하겠지만 시체보다는 나을 것 같았다. 뻗은 손에 무언가 닿았다. 미끌미끌한 감촉이 싫은데도 멈출 수 없어 무언가를 만지작거렸다. 곱창이 눌어붙은 시꺼먼 곱창 판이었다. 나는 그것이 무엇인지, 어떤 상태인지 모르고 만졌다. 무언가 끈적끈적한 게 느껴졌지만 내 거기를 누군가 들여다보고 있다는 사실을 잊을 수 있어서 그걸 만지는 것에 집중했다.

"우리 시통이 웬 손을 그렇게 오래 씻어?"

여자가 장독대에 생선채반을 널어놓고 도둑고양이 입이 안 닿게 더 큰 채반으로 덮어 돌로 고정시킨 뒤 수돗가로 와서 상냥하게 물었다. 나는 물론 대꾸하지 않았다. 여자는 부주의하게 내 손이 담긴 세숫대야에 온갖 생선을 주물럭거린 비린내 묻은 자신의 손을 텀벙 집어넣더니 물소리 요란하게 씻기 시작했다. 나는 질겁해서 손을 빼내면서 몸을 일으켰다. 나는 분명 손만 빼낼 생각이었는데 생각보다 앞서 몸이 나를 일으켰다. 내 몸은 "난 네가 싫어, 친한 척하지 마."라고 소리치고 있었다.

그 여자를 상징하는 것은 암내와 더티였다. 조금 전 암내와 더티를 상징하는 은밀한 곳을 보았다. 사랑하고 아기를 낳는 곳, 그 비밀한 금의 탄생을 상징하는 여자를 내 몸은 저절로 거부한 것이다. 여자는 내 반응이 그렇게 나올 줄 알았다는 듯이 땟물로 시커먼 세숫대야의 물을 훌렁 비우고는 새 물을 받아 내 앞에 대령했다. 그러고는 마치 내가 비밀스럽게 행한 모든 것을 알고 있다는 듯이 갈갈 웃으며 부엌으로 달려갔다.

나는 갑자기 마음이 무거워졌다. 비밀을 알게 되었다는 건, 마음 한구석에 칼금처럼 희미하지만 절대 지워지지 않는 죄의식을 새기는 거라는 걸, 달아나는 여자의 등을 보면서, 세숫대야에서 찰랑거리는 새 물을 보면서 깨달았다.

할머니의 가출

나는 지금 너무 불안하다.

"엄마는 몇 시에 오신다고 했니?"

선생님은 아침 조회시간이 끝나고 나를 복도로 나오라는 손짓을 하더니 물었다.

"……."

"왜 대답이 없어?"

"내일 오신대요."

"왜, 바쁘시니?"

"네."

"알았어. 가 봐."

아, 왜 진작 이런 생각을 못했지? 이렇게 쉽게 넘어가다니. 내일 오신대요, 내일 오신대요. 이 핑계로 몇 달만 버티면 겨울방학이 되는데 방학을 한 뒤에도 엄마를 오라고 하지는 않겠지, 라는 생각을 종례시간 전까지는 당차게 했다.

"엄마가 바빠서 학교 오실 시간이 없다고 했지? 그럼 오늘 가정방문할까? 곧 네 가정방문 차례인데 미리 당겨서 할까 하고. 엄마 몇 시쯤 집에 계시지?"

내 순발력도 이럴 때는 쓸모가 있다. 나는 재빨리 대답했다.

"엄마 시골 가셨어요."

"그래? 언제 올라오시는데?"

그 순간 엄마가 영영 시골로 이사 가 버렸다고 하고 싶었다.

"잘 모르겠어요. 며칠 걸리실 거 같아요."

"흠……."

선생님은 손을 턱에 괴고 뭔가 깊게 생각하는 눈치더니 굳은 표정으로 나를 쳐다보았다.

"근데 왜 아침에는 내일 엄마가 오실 수 있다고 했지?"

거짓말도 머리가 좋아야 하는 거지.

"엄마를 꼭 봬야 하니까, 학교에 언제 오실 수 있는지 여쭤봐."

눈물이 나오려고 했다. 엄마가 교무실에 앉아서 선생님한테 혼나는 상상만으로도 울 것 같았다.

나는 힘없이 달동네 골목에 들어섰다. 고민에 빠져 고개를 숙이고 언덕길을 오르느라 저만치 양산을 쓴 아줌마가 하늘거리는 한복 치마 끝자락을 휘날리며 걸어가는 것을 놓쳤다. 문득 고개를 들었을 때 양산을 쓴 귀부인의 자태는 내 시선을 빼앗아 버렸다. 저런 분이 내 엄마라면, 이라는 선망도 잠시, 드디어 색감이 아니라 사람의 형체를 알아볼 정도로 거리가 좁혀졌고, 이 귀부인이 엄마라는 것을 알고 깜짝 놀랐다. 그러나 놀란 사람은 나 혼자였다. 엄마는 내가 언덕 입구에 들어설 때부터 나인지 알고 있었다. 하얀 꽃이 수놓인 양산에 얼굴이 가려 알아보지 못한 것이다. 엄마의 얼굴은 이미 삶은 문어대가리처럼 벌겋게 탔는데 해를 가리겠다고 양산을 쓰고 있는 모습은 애처로웠다. 엄마에게 양산은 남산 분수대를 배경으로 사진을 찍던 행복했던 시절을 상징하는 소품이었다.

"얘가 왜 엄마를 보구선 귀신 본 것처럼 놀래?"

엄마는 이 시간에 이태원시장에 있어야 하는 사람이다. 내가 지름길인 시장을 버려두고 턱에 숨이 차도록 빙 돌아온 것도 엄마와 마주치고 싶지 않아서였는데, 이 시간에 달동네 어귀에서 한복 자락을 휘날리며 걸어오고 있으니 귀신을 본 것처럼 놀랄 수밖에.

"오늘 장사 안 했어. 일 있어서 시내 다녀오느라고."

엄마는 내 의문을 눈치채고 해명했다.

"명숙이는 어쩌고 혼자 와?"

"명숙이네 반이 단체기합을 받아서. 숙제할 것도 있고."

엄마가 고깟 것 기다렸다 같이 오지, 라는 말을 할까 봐 숙제를 덧붙였다.

"우리 막내가 이제 숙제도 열심히 챙기고 학교생활에 재미 좀 붙였나?"

하필 이런 시점에서 엄마가 나를 칭찬할 건 뭔가. 엄마가 학교에 가서 내 이름 옆의 무수한 ×표를 봐야 한다고 생각하니 가슴이 아렸다. 국민학교도 제대로 다니지 못한 엄마에게 ×는 나쁜 표식이다. O만이 긍정의, 정의의 표식이었다.

엄마와 나는 아무 말 없이 언덕길을 올라갔다. 나는 그것도 미안한 마음이 들었다. 막내딸이라면 친구들과 학교에서 있었던 일, 짜증나고 화나는 일, 칭찬받고 재미있었던 일, 종알종알 투덜투덜 일러바치며 애교 떨지 않고, 스무 살이 넘어 자기 세계를 가진 언니나 오빠처럼 아무 말 없이 가끔 이마의 땀이나 훔치며 엄마의 뒤를 따라가는 내가 미안하단 생각이 들었다.

• • •

"건덕지라도 좀 있디?"

고압선집에 들어서자 할머니가 방에서 고개를 쑥 내밀며 엄마에게 물었다. 할머니는 엄마가 한복을 떨쳐입고 시내에 출동한 이유를 알고 있었다. 엄마는 할머니 말에는 대꾸도 않고 바가지 한가득 물을 받아 절반을 흘리면서 달게 들이켰다. 크아, 길게 트림을 한 후 바가지에 남아 있던 물을 휙 뿌렸다. 시멘트가 거칠게 발린 옥상 바닥은 땡볕에 바짝 말라 있다가 물방울을 순식간에 빨아들였다. 엄마는 문지방에 걸터앉아 버선의 코와 뒤축을 동시에 힘 있게 잡아당겼지만 사이즈가 작은데다가 땀에 전 버선은 꼼짝도 하지 않았다. 엄마는 볼이 넓적하고 큰 발을 작은 문수의 버선에 구겨 넣는 버릇이 있었다. 집에서 살림만 하던 팔자 좋은 시절, 외출하고 돌아와 버선을 벗을 때마다 심심치 않게 보아온 장면이었다.

"건덕지 좀 있더냐고."

시에미 말을 파리 방귀 소리로도 안 듣는다는 호통이 생략되어 할머니의 목소리가 거칠었다.

"이미 늦었더라고요. 다른 채권자들이 어떻게 손을 썼는지 싹 쓸어 가고 고물 하나 건져 왔네."

"고물이라니?"

"거울이요."

"거울이라고야? 꽃단장할 인사가 어디 있다고 쓸데없는 거울을 가져왔냐?"

"그럼 우리 돈 떼먹고 도망갔던 놈들이 빗잔치한다고 해서 장사까지 하루 공치고 갔는데, 빈손으로 와요?"

"거울은 어디 있냐?"

"이따 트럭이 싣고 올 거예요."

"트럭이 어디 있어서 싣고 온다는 것이냐?"

"빌렸죠."

"돈 안 주고 공짜로 빌려준다디?"

"세상에 공짜가 어디 있어요. 비싼 기름 태워 움직이는 건데, 것두 다 돈 내는 거지."

"오메, 내가 너 통 큰 건 알아봤다만, 거울 싣고 오느라 트럭까지 전세 내는 통 큰 년은 조선팔도를 이 잡듯이 뒤져 봐도 없을 것이다."

"그럼 어머니는 빈손으로 오면 좋겠어요?"

"시상에, 트럭 대절할 삯이면 숙자 옷을 열두 벌도 더 해 줬겠구만."

"숙자 옷이라뇨, 무슨 말씀이세요?"

느닷없는 숙자라는 이름의 등장에 간신히 천불을 가라앉히고 있는 엄마의 눈이 또 째졌다. 나는 아슬아슬한 삼각 시선 릴레이와는 사뭇 다른 빛깔로 꿈틀거리는 긴장감이 왠지 불길해서 가슴을 졸였다. 엄마를 학교로 모시고 가야 하는 긴박한 상황이었다.

“말이 나왔으니 탁 까놓고 해불자. 식모도 쟈 입성보다는 나을 것이다. 쟈 에미는 암 걸려 골골하는 판국에, 촌 땟국이나 벗겨 시집보낼 요량으로 하나밖에 없는 딸년 서울 보내 놨더니, 시집은 고사하고 부엌데기로 직사게 고생만 시키고, 철따라 옷은 못 해 입힐망정 외출 옷 한 벌은 해 입혀야재. 트럭 모실 돈은 있어도 쟈 옷 한 벌 사 입힐 돈은 아깝디?”

여자는 불똥이 자신에게로 방향을 틀어 달려드는 게 겁이 나는지 수돗가에서 콩나물을 씻다가 부엌으로 도망갔다.

“어머니, 그리 말씀하시면 섭하지요. 남이 들으면 데려온 자식이라고 굶기고 타박하는 줄 압니다. 저는 이날 입때껏 눈곱만치도 계모라고 생각해 본 적 없어요. 우리 애들한테만 따로 맛난 거 먹입니까, 우리 애들만 좋은 옷 사 입힙니까. 재를 보세요.”

갑작스런 엄마의 지목으로 나는 다락방에서 쥐들과 친구하던 누더기 행색의 소공녀로 돌아갔으면 하는 바람으로 내 차림을 내려다보았다. 썩 훌륭하진 않았지만 누더기 차림은 아니어서 엄마한테 죄를 지은 기분이었다.

“굶으면 같이 굶는 거고, 벗으면 같이 벗는 거지. 그리고 지금 옷 타령 할 때예요? 우리 사정이 이 모양인 거 재 엄마가 모를 리 없고……, 그나마 길바닥에 나앉지 않은 것도 제가 땡볕에 장사해서 버티고 있는 건데, 어머니가 재 역성을 들고 나오면 저도 더 이상 못 데리고 삽니다.”

엄마는 확신에 차서 ‘재 엄마가 모를 리 없을 것’이라고 말했는데, 외숙모가 시골의 그 여인이 자기 딸을 본가에 스파이로 심어 놓고 올라와도 좋다는 호각 소리가 울리길 기다린다는 말을 엄마가 은연중에 믿은 것 같다. 할머니가 이 말에 펄쩍 뛰지 않았을 뿐만 아니라 처음의 당당한 기세가 많이 누그러들었는데 어쩌면 할머니가 진짜로 스파이였는지도 모른다.

“나가 뭣담시 역성을 들겄냐. 갱우가 그렇지 않냐 그 말이여. 시방 쟈가 온 지 몇 달이 되았냐. 근디 포도시 창시나 들러붙지 않을 만치 먹이고 이 살림 다 하는디, 옷 한 벌 해 주자는 게 뭐 그리 잘못이냐? 넘의 눈도 있는데.”

“어휴, 기가 막혀서. 지금 남의 눈이라고 하셨어요? 시장 사람들이 뭐라고 하는지 아세요? 저더러 속도 없대요. 저런 애랑 살면서 속 안 뒤집어지고 살아 있는 거 보면요.”

“하이고, 비단금침 해 주자고 혔다가는 시에미 때려 죽이겄다. 출입 옷 한 벌 개비해 주자는데 먼 죽을죄를 지었다고 펄펄 뛰고 난리냐.”

“말이 나왔으니 말인데요, 어머니 서울 오시고 얼마 되지 않아 재 올라왔잖아요. 이십 년 동안 모르고 지내던 아이를요. 어머니까지 그 여자하고 내왕하면 못쓴다고 생각지 않지만서도 막상 일이 이렇게 되고 보니, 어머니하고 그 여자 사이에 뭔 작당이 있었던 건 아닌지 정말 섭섭합디다."

"시방 머시라 시부렁거렸냐. 작당이라고야. 야 말뽄새 좀 보소. 그래, 내가 쟈 끌고 왔다. 니 서방이 쟈 에미한테 푹 빠져 있을 적에 니 역성 안 들어 줬다고 나한테 포악을 떠는갑다만, 밑이 이뻐서 사내들이 끓는 것을 막을 재주 있간디?"

"어머니, 기억하세요? 그때 영미 아버지 마음 좀 잡게 해달라고 했더니, 도랑 파서 논물 바꾸듯이 사람 마음 바꿀 수 있냐고, 지 마음 가는 것을 낸들 어쩔 도리 있냐고 했던 거요. 니가 시집와서 해 놓은 거 뭐 있다고 큰소리냐고 저를 되려 원망했어요. 남편 복 없는 년이 이제 와서 무슨 말을 하겠습니까마는, 제 속은 이미 그때 다 문드러졌어요."

"아이고, 영감 죽고 물려받은 논밭 거두면서 속창시 편하게 살라고 했등만, 서울서 호강시켜 준다고, 호강시켜 준다 해서 자식 소원풀이 해 줌사 하고 와본게로 생선 대가리 팔아 밥 대준다고 유세 떠는 며느리 괄시 서러워서 못 살겄네, 못 살겄어."

할머니의 울음은 차츰 곡소리로 변했다. 여자는 부엌에서 뭘 하는지 숨소리도 들리지 않았다. 부뚜막 위에 엉덩이를 걸치고 앉아 손톱 밑 거스러미를 뜯고 있을 것이다.

할머니는 울음 끝에 가방을 싸기 시작했다. 할머니는 엄마와 다투고 나면 작은아버지 집으로 가출해서 며칠 지내다가 왔다. 작은 아들과 며느리가 모두 대학을 나왔다고 자부가 대단한 할머니와는 달리 도도한 작은엄마는 할머니를 별로 탐탁지 않게 여겼다. 할머니 또한 그 사실을 잘 알고 있어서 평소에는 내왕도 않다가 엄마와 싸우고 나면 갑자기 작은엄마의 학벌이 큰며느리의 기세를 눌러 줄 것이라고 믿었다. 국민학교도 마치지 못한 무식한 큰며느리 집 말고 대학까지 나온 며느리에게 대접받을 수 있는 신분이라는 것을 시위하기에는 적격이었다.

엄마 또한 그렇게 집을 나가는 할머니를 형식적으로라도 말리지 않았다. "다른 데서 눈칫밥 좀 잡수시고 지내 봐야 나 고마운 줄 알지." 하고 당신 발로 걸어올 때까지 모른 척했다. 당당하게 가방을 쌌던 할머니는 일주일을 채 넘기지 못하고 "작은아들네는 징하게 잘살더랑게." 하며 작은엄마가 싸 준 과일이며 소꼬리 등을 한 보따리 들고 당당하게 고압선집에 들어설 것이다. 엄마도 "잘 지내셨어요?"라고 아무렇지 않게 맞을 것이고.

할머니와 엄마 둘 모두에게는 해로울 것 없는 싸움이었지만 나와 여자에게는 치명적인 전투였다. 나는 엄마를 학교에 모시고 가야 하는 상황이었고, 분란을 일으킨 원인의 한가운데 있던 여자 또한 할머니가 작은집으로 가면 입장이 곤란해질 것이었다.

할머니의 퇴장으로 집안은 갑자기 조용해졌다.

거울, 공중 날다

아빠와 오빠가 퇴근해서 들어오면서 집안 분위기는 할머니가 있을 때보다 오히려 안정적으로 바뀌었다. 엄마가 미리 말을 해두었는지 아빠는 고압선집에 들어서면서 할머니에 대해 아예 언급도 하지 않았다. 오빠만 "할머니는?"이라고 나에게 물었는데 내가 "작은집에", 라고 말하자 대충 어떤 분위기였는지 짐작이 간다는 듯이 더 이상 묻지 않았다.

그 여자는 부엌에서 저녁 준비를 하느라 동동거린 건 평소와 다를 바 없었지만 싸움의 원인 제공자로서 엄마의 눈치를 보는 게 역력했다. 그러나 엄마는 의외로 여자를 나무라는 기색 없이 이상한 열기에 휩싸인 듯 화색이 돌았다. 아빠의 수저에 고등어조림 한 토막을 올려 주면서 "등 푸른 생선이 몸에 좋대요."라며 평소의 무뚝뚝한 엄마답지 않은 행동을 보인 게 증거였다. 엄마를 호시탐탐 감시하는 할머니가 없는 상황에서 묵묵히 수저질을 하고 있는 그 여자에게 보란 듯이 행동하는 엄마.

저녁 식사 후 수돗가에서 설거지를 하고 있는 여자의 뒤통수에 대고 엄마가 지나가는 말처럼 중얼거렸다.

"동대문에서 사촌 동생이 양장점을 하고 있는데……."

여자는 와릉와릉 그릇 부딪히는 소리 사이로 톡톡 불거지는 엄마의 말이 자신을 향한 것이라고 생각하지 못했다. 사촌이건, 양장점이건 자신과는 전혀 관련 없는 단어들이었다. 생선이나 빨래나 김칫거리였다면 귀를 기울였을까.

"내 말 듣냐?"

날카로운 목소리에 여자가 고개를 돌려 백열등 불빛 아래 우뚝한 그림자를 만들고 서 있는 엄마를 올려다보았다.

"네? 뭐라고 하시는지……."

"동대문에 사촌동생이 양장점 하니까 거기 가서 옷 한 벌 맞춰 입으라고."

엄마는 자신이 말해 놓고도 뭐가 부끄러운지 여자의 대답도 듣지 않고 방으로 후다닥 들어갔다. 여자는 오랫동안 설거지통에 손을 담그고 정지해 있었다.

한 방울, 두 방울…….

눈물이 설거지통으로 떨어졌다. 여자는 다시 와릉와릉 그릇을 씻기 시작했다. 그러나 그게 정말 여자의 눈물이었는지는 확실하지 않다. 그때 여름의 막바지를 알리는 태풍의 전조로 비가 한두 방울 떨어지기 시작했으니까. 며칠 전부터 곧 태풍이 몰아닥친다고 라디오 방송에서 떠들어 댔지만 가끔 습기를 잔뜩 먹은 바람이 스쳐 갈 뿐, 비 한 방울 떨어지지 않아 아무도 태풍이 올 것을 믿지 않았다. 그러나 그 여자가 설거지를 하면서 흘린 한두 방울의 눈물을 빗방울이라고 믿게 했던 그 빗방울이 새벽녘에는 고압선을 끊을 만큼 거센 폭풍우로 돌변했다.

• • •

여자가 집안일을 모두 마쳤을 때쯤 사내 두 명이 고압선집으로 올라오더니 큰소리로 투덜거렸다.

"아니, 이렇게 좁은 계단에 어떻게 거울을 올려요?"

아빠는 지은 죄가 있어서 조용히 있었고, 오빠는 방에서 나와 무슨 일이냐고 엄마에게 자초지종을 물었다. 오빠가 계단을 내려가는 것을 보고 나도 뒤를 따랐다. 내 입이 쩍 벌어졌다. 트럭에서 부린 거울은 학교에 걸려 있는 육성회장이 기증한 거울보다도 컸다. 내 평생 이렇게 큰 거울은 처음이었다. 할머니는 '그깟' 거울을 트럭으로 모신 엄마를 나무라느라 싸움까지 벌였는데 이 정도 크기라면 충분히 그럴 만했다.

거울이 워낙 커서 어떻게 기울여도 좁고 가파른 90도계단으로 올라갈 수 있는 각도는 나오지 않았다. 여러 차례 합의를 거쳐 밧줄을 이용해 옥상으로 직접 끌어올리기로 결론을 내렸다. 저녁 밥상도 물린 뒤의 시각인데다 빗방울이 하나둘 떨어지기 시작해서 달동네는 어둑했다.

"이렇게 늦게 오면 어떡해요. 깜깜해서 올리다가 떨어뜨리기라도 하면 어쩌려고."

엄마는 거울에 밧줄을 엮고 있는 용달 인부들이 거울을 올리는 것에 대한 모든 책임을 지라는 의도에서 한 말이지만 이것이 오히려 인부들의 화를 돋우었다.

"아니, 이 아줌씨가, 이 거울 때문에 배달이 얼마나 힘들었는지 알아요? 깨질까 봐 다른 짐들을 함부로 내릴 수 있나, 달동네 언덕을 올라오는데 속도를 낼 수 있나. 그리고 이렇게 밧줄로 올리면 배나 힘이 든단 말이요. 아직까지 저녁도 못 먹었는데."

"그러니까 제가 애초에 다른 짐보다 삯을 더 쳐드렸잖아요."

엄마는 부드럽지만 단호하게 말해 추가 비용은 없음을 암시했다. 춘희할머니도, 명숙이도 가게에서 나와 희한한 공중부양을 지켜보았다.

"올려!"

옥상 난간에서 밧줄을 붙들고 있던 사내의 외침에 대폿집 앞에서 대기하고 있던 사내와 아빠가 거울이 매져 있는 밧줄의 한쪽을 풀기 시작했다. 나는 어두워서 더욱 까마득해 보이는 옥상을 올려다보았다. 작업을 하고 있는 사내 옆에 그 여자가 팔짱을 끼고 옥상 난간에 서서 아래를 내려다보고 있었다. 그동안 고압선이 무서워서 옥상 난간에 서 있어 볼 엄두도 못 냈는데 나도 사람들의 정수리와 트럭 지붕과 거울이 공중으로 떠오르는 것을 보고 싶었다. 그러나 90도계단을 아무리 빨리 올라간다 해도 그 시간이면 거울이 고압선집에 도착할 것이다. 대폿집 앞에서 보는 걸로 만족해야 했다.

"올려!"

또 한 번의 외침에 거울은 쑥쑥 끌어올려졌다. 네모나게 누워 올라가는 거울은 어둠을 빨아들여 흑경처럼 번들거렸다. 나와 명숙이는 두 손을 꼭 잡고 거울이 점점 높이 올라갈수록 고개가 아플 정도로 뒤로 젖혔다. 난쟁이처럼 짜부라진 우리 모습이 흑경이 올라감에 따라 커졌다 작아졌다, 얼룩덜룩 비쳤다.

오빠와 사내는 거울이 고압선집 가까이 도달하자 허리를 난간에 최대한 기대어 줄을 당겼다. 낮은 옥상 난간과 고압선 때문에 아래로 고꾸라지거나 통돼지구이가 되는 것이 아닌가, 눈을 못 떼고 지켜보았지만 사내들의 호들갑과 달리 거울은 거뜬하게 올려졌다. 떨어져 박살이 날까 봐 조마조마하던 내 마음을 비웃듯이 안전하게 착지했다. 나와 명숙이는 숨을 헐떡이며 90도계단을 뛰어 올라갔다. 네 명의 남자들이 합세해서 거울의 네 귀를 떠받들고 고무줄놀이를 하는 것처럼 고압선을 건너왔다.

평평하게 누워 있는 거울은 거대한 양탄자 같았다. 신밧드처럼 그 위에 올라타면 어둠 속을 빠른 속도로 날아갈 거 같았다. 난다는 것은 생각보다 간단한 일일 수도 있었다. 눈물 모양의 지붕 위와, 남산타워와, 먼빛이 오는 반짝이는 그곳에도, 원하는 데는 어디든 갈 수 있을 것 같았다.

거울의 공중부양 작업보다 더 고초를 겪은 건 거울이 걸릴 위치를 선정하는 것이었다. 장롱으로 방 가운데를 가로막아 남자와 여자 방으로 구분했는데, 아빠가 여자들 방이 조금 더 크니까 그 방에 걸자고 했다. 하지만 여자 방은 물건들로 가득 차 있어서 불가능했다. 오빠는 그럼 남자들 방에 걸자고 했지만 남자들이 거울을 들여다보고 단장하는 집은 망한다는 이상한 논리를 내세워 그곳도 탈락했다.

그럼 어디? 방을 제외하면 어디에도 걸 만한 곳이 없어 보였다. 그때 엄마가 아무렇지도 않게 마당을 손가락질했다. 마당? 엄마는 바보처럼 그것도 모르겠냐는 듯이 방과 부엌 사이의 외벽을 툭툭 쳤다. 툇마루가 없는 고압선집은 부엌에 갈 때에도 신발을 신고 가거나 신발을 꿰기 귀찮아 할머니한테 매번 혼나면서도 까치발을 들고 맨발로 재빨리 건너가곤 했다. 그 사이의 빈 벽에 걸자는 뜻이었다. 남자와 여자가 함께 이용할 수 있을 뿐만 아니라 공간 활용에도 적당한 엄마의 기발함에 감탄했다. 한 가지 아쉬움이 있다면 눈이나 비가 올 때는 차양이 깊지 않은 바깥벽이어서 고스란히 젖는다는 점이었다.

즉시 실행에 옮겨졌다. 외벽에 시멘트 못을 박고 거울이 걸렸다. 웅장한 거울 앞에서 우리는 다들 옷매무새를 단정히 했다. 간신히 얼굴, 그것도 식구의 평균 키에 맞춰 걸었기 때문에 남자들은 허리를 구부리고, 나는 까치발을 들고 봐야 했던 작은 거울과는 달리 전신이 단번에 비춰지고도 넉넉하게 여분이 남는 경험은 우리를 대단한 부자가 된 것처럼 느끼게 했다. 거울 맨 아래에 인쇄된 '발 축전'이라는 글자는 고압선집의 앞날을 발전시켜 줄 것 같은 암시로 들렸다.

할머니가 없는 상황에서 벌어진 이 행사는 순조롭게, 기분 좋게 마감됐다. 적어도 일주일 후 할머니가 작은집에서 돌아와, 무식할 뿐 아니라 집안 말아먹으려고 작정을 한 여편네가 아니고서는 도저히 상상할 수 없는, 대문에 들어서자마자 거울을 쨍하니 마주 보게 걸어 놓아 천기를 앗아가는 위험한 위치였음을 설파하기 전까지는.

• • •

엄마가 일당도 포기하고 하늘색 치마저고리를 떨쳐입고 채무자 사무실로 쳐들어가서 가지고 온 '건덕지'는 대형 거울을 시작으로 줄줄이 이어졌다. 호마이카 케이스에 들어 있는 별표전축, 항상 5분 늦게 종을 치는 벽시계, 찢어져 더러운 솜뭉치가 드러난 일인용 소파 따위였다. 시장 바닥에서 아이를 떨굴 정도로 악착같이 모아 마련한 집을 날린 대가치고는 보잘것없었지만 엄마는 할머니의 호통에도 아랑곳하지 않고 꿋꿋하게 그 여자의 옷 열 벌 값에 해당하는 트럭을 불러 모셔 왔다.

항상 5분 늦게 치는 벽시계는 언니가 가정시간에 만든 난초 스킬 족자를 떼어 낸 자리에 걸렸다. 때가 타서 흰색 바탕이 짙은 회색이 되어 갈 동안 누구도 기억하지 않은 족자였다. 스킬족자 자신도 그곳에 걸려 있다는 사실을 잊은 채 매달려 있었을 것이다.

항상 5분 늦게 종을 쳤지만 학교에 가기 전에, 일터로 가기 전에 대형 거울에 서서 옷매무새를 마무리하고 벽시계를 흘깃 올려보는 것이 모든 일과의 시작이었다. 특히 그 괘종 소리를 아직도 잊을 수 없다. 할머니 말대로 쥐방울만 한 괘종에서 울리는 여운이 긴 아득한 종소리는 품격이 높았다.

그다음에 트럭에 실려 온 별표전축 또한 우리 식구들의 사랑을 받았다. 벽시계가 비록 종소리 하나는 우아하다 쳐도 체격도 작고, 5분 늦게 종을 쳤기 때문에 절대적인 신뢰까지 받는 데 실패했다면 전축은 애정과 신뢰를 동시에 받았다. 호마이카 케이스에 들어 있던 별표전축은 체격 면에서도 훌륭했다. 돼지족발을 연상시키는 작달막하지만 튼실한 네 개의 다리가 전축의 전체 무게를 믿음직스럽게 떠받들고 있었다.

전축 위에는 황금빛 술이 달린 보라색 융단 덮개가 씌어 있었다. 자존심 강한 여자처럼 두 쪽의 미닫이문을 양쪽으로 열기 전에는 함부로 몸통을 보여 주지 않았다. 엄마가 늘 아빠를 비아냥거릴 때 쓰는 말인 '허우대만 멀쩡하고 사내구실 못하는 남정네' 같을까 봐 조심스럽게 바늘을 판 위에 올렸는데 그물망으로 덮인 양옆의 스피커에서 흘러나온 음향의 조화가 우리들의 마음을 뒤흔들어 놓았다.

"스테레오라 그래."

오빠가 말했다. 각각의 스피커에서는 나온 소리가 가운데서 모아져 입체적으로 들린다는 것이다. 전축과 함께 딸려 온 20여 장의 레코드판에는 내가 라디오에서나 들었던 남진이나 이미자 노래 외에 팝송이라는, 난생 처음 들어 본 미국 노래가 실려 있었다.

이마에 별 하나가 박혀 있는 별표전축의 스테레오 소리가 아직도 귀에 생생하다. 한밤중에 "미아리이 눈물고개~, 울고 넘던 이 고개여~"라는 춘희할머니의 노래가 곱창 연기를 타고 고압선집으로 올라오면 할머니는 낡은 건물이 허물어지기라도 할 듯이 팝송을 커다랗게 틀어 한 박자 늦은 춘희할머니 노래를 스테레오 소리에 먹히게 만들었다. 아무리 별표전축의 스테레오 소리가 좋았다 해도 나는 가슴 먹먹하게 울리던 춘희할머니의 노래를 더 좋아했다.

별표전축은 언니의 귀가 시간을 앞당기는 역할도 했다. 그 여자가 우리 집에 들어온 뒤로 산더미 같은 회사 일을 핑계로 통행금지 시간 무렵에 아슬아슬하게 퇴근하던 언니였다. 가끔 언니의 기척에 엄마가 깨서는 "씻고나 잘 것이지."라고 야단은커녕 안타까움을 담는 게 고작이었다. 야근하느라 힘들어하는 줄로만 알고 회사가 쉬는 일요일에는 점심 무렵까지 늦잠을 허락했다. 언니는 대낮에 일어나 눈곱도 안 떼고 몸이 허한 언니를 위해 엄마가 그 여자에게 주문해 놓은 특별 요리를 깨작거렸다.

일요일인 그날도 언니는 어김없이 늦잠을 더 자기 위해 장롱 너머의 남자들 방으로 이동했다. 언니는 남자 방으로 들어가자마자 "와, 이게 뭐야?"라고 외쳤다.

"도대체 큰딸이라는 것이 집구석 돌아가는 꼴도 모르고."

거울의 공중부양 이후 구닥다리 고물을 시에미 보란 듯이 트럭으로 모셔오는 꼴이 불만스러워 할머니는 수저를 든 채로 혀를 차며 말했다.

"재가 뭐 놀러 다니느라 그래요? 남들 다 다니는 대학도 못 가고 돈 버느라 맨날 늦으니 모르는 거죠."

엄마는 그 여자와 언니가 돌 무렵 맞부딪쳤던 현장을 지킨 사람으로서 항상 언니를 감쌌다. 오빠가 서둘러 아침 식사를 마치고 남자들의 방으로 가서 전축을 틀려고 여기저기 만지고 있지만 소리를 못 내고 있는 언니를 도왔다. 갑자기 고막을 찢는 큰 소리가 흘러나와 우리 모두 밥 먹다 말고 귀를 막아야 했다. 언니가 소리를 내게 하려고 볼륨을 있는 대로 키워 놓았던 것이다. 볼륨이 제자리를 찾고 나중에 명숙이가 '똥 발라 씻고'라고 따라 불렀던 아다모의 '똠블라네쥬'가 흘러나왔다.

언니는 있는 판을 몽땅 틀어 보느라 낮잠도 자지 않았다. 그 이후 매달 월급날이 되면 월급의 일정 금액을 떼어 레코드판을 사 왔다. "저건 십일조도 아니고 우리가 그럴 형편도 아닌데."라며 엄마는 구시렁거렸지만 말리지는 않았다. 순교자적인 표정으로 굳어 있던 언니의 얼굴이 일찍 퇴근해서 음악을 들으면서 식구들하고 이야기도 나누고 식사도 함께하면서 풀어지는 기색이 보였기 때문이다. 레코드판 한 장의 값어치는 충분히 한 것이다.

언니가 특히 좋아하는 음악은 '새디스트 씽'이었다. 언니는 이 판을 틀어 놓고 불을 끄고 깜깜한 방에 누워서 듣는 것을 좋아했다. 내가 남자 방으로 가 보면 우는 건지 이마 위에 올려놓은 손을 슬그머니 눈으로 갖다 댔다. 그런데 참 재미있는 것은 그 여자도 '새디스트 씽'을 제일 좋아했다는 점이다.

어느 날 학교가 끝나고 음악 소리가 들려 방문을 열어 보니 언니가 이마에 손을 올리고 누워서 음악 감상에 빠져 있었다. 나는 언니가 일찍 퇴근한 줄 알고 “언니!”라고 불렀는데 그 여자가 부스스 눈을 뜨며 몸을 일으켰다. 내가 처음이자 마지막으로 그 여자를 언니라고 부르는 실수를 저지른 순간이었다.

세대가 같다는 것, 더욱이 동갑이라는 건 그런 것일까. 같은 것을 좋아하고, 같은 생각을 할 가능성이 많다는 것. 언니와 그 여자가 우리 집에서 만나지 않고 학교나 동네 친구로서 만났다면 잘 어울리는 친구가 되었을 수도 있다. 함께 새디스트 씽을 들으면서 눈물을 흘릴 수 있는 둘도 없는 친구.

고압선에 감전되다

밤새 천둥 번개와 비바람 소리에 꿈결인 듯, 잠결인 듯 뒤척였다. 아직 여름이지만 어깨를 으슬거리는 한기에 나는 엄마 품을 파고들었다. 그렇게 막 다시 깊은 잠에 빠져들 무렵 그 여자의 비명 소리가 온 식구들을 깨웠다. 아직 동이 트기 전이어서 창밖은 어두웠다. 마당에서 들린 여자의 비명 소리가 한 번에 그쳤다면 우리 식구들은 여자가 발을 헛디뎌 미끄러졌거나, 엄마가 세상에서 제일 귀하게 여기는 쌀을 엎질러 지르는 비명으로 알고 다시 잠 속으로 빠져들었을 것이다. 그러나 우리가 다시 새벽잠을 청하려고 베개를 고쳐 벨 때 여자는 첫 일성보다 더 큰 비명을 질러 고압선집을 흔들어 놓았다.

방문이 활짝 열렸다. 여명도 도달하지 않은 어둠 속 어딘가를 가리키는 여자의 손가락을 식구들이 노려보았지만 더 짙은 어둠뿐이었다. 아빠가 슬리퍼를 급하게 끌고 나섰다. 오빠는 아빠가 처리하지 못하면 언제든지 나가서 돕겠다는 의지로 방문 앞에서 기웃거리고 있었다. 여자들은 아무리 여름이라고는 해도 새벽 내내 몰아친 폭풍우가 뿌려 놓은 냉기에 선뜻 나서지 못하고 시선은 고압선 아래로, 몸은 여전히 방에 머물러 있었다.

아빠가 고압선과 수돗가 사이에 쪼그리고 앉아 무언가를 발로 찔러 보고 열심히 들여다보더니 "아무것도 아니에요, 고양이에요, 고양이."라고 선언했다. 식구들은 단잠을 깨운 여자의 경솔을 원망하며 방문을 닫았다. 그러나 나는 그 틈을 뚫고 마당으로 나왔다. 시골에서 나고 자라서 이무기가 똬리를 튼 것도 아무렇지 않게 이야기하는 여자가 단순히 고양이 한 마리 때문에 곤한 잠에 빠진 식구들을 두들겨 깨운 것 같지는 않았다.

"안 자고 왜 나와?"

고압선 밑으로 바짝바짝 다가가는 나에게 아빠는 그렇게 말했지만 강하게 말리지는 않았다. 정확히 말하면 말릴 시간이 없었다. 아직도 쪼그리고 앉아 무릎에 얼굴을 묻은 채 벌벌 떨고 있는 여자를 위해 아빠는 빗자루와 부삽을 가지러 황급히 자리를 떴기 때문이다.

나는 처음에 그게 고양이라는 것을 알지 못했다. 아빠가 분명히 고양이라고 외쳤으므로 내가 기억하고 있는 고양이의 형상이 그곳에 있어야 했지만 크고 작은 검은 실뭉치 같은 게 나동그라져 있을 뿐이었다. 아까 아빠가 쪼그리고 앉아 있던 그 자세로 나도 고압선과 수돗가 사이에 앉아 그 실뭉치를 자세히 들여다보았다. 아빠가 식구들에게 고양이예요, 라고 말했던 그 고양이인 것만은 사실이었다. 그러나 아무것도 아니에요, 라는 말은 틀렸다. 아무것도 아닌 게 아니었다. 고양이의 몸은 털로 뒤덮여 있다는 것을 새삼 깨닫게 만들어 주는 끔찍한 형상이었다.

고양이를 한두 번 본 것도 아니지만 이 고양이는 내가 알고 있는 고양이의 모습이 아니었다. 여러 가닥의 고압선 중 한 가닥이 지난 밤의 거센 폭풍우로 끊어져 수돗가에 늘어져 있었고, 몸을 이끌고 수돗가에 왔던 고양이의 몸속을 전기가 통과하면서 오빠 말대로 통돼지구이, 아니 통고양이구이가 된 것이다. 그러나 단순히 고양이가 감전된 것이 끔찍한 게 아니었다. 그 고양이가 새끼를 밴 어미 고양이였다는 점이다. 어미 고양이가 감전되는 순간 곧 태어날 준비를 하고 있던 새끼 고양이들이 태를 뚫고 나왔다.

나중에 똑똑한 오빠도 이 문제에 대해서는 해답을 내놓지 못했다. 새끼를 수돗가에 낳은 뒤 어미가 감전된 것일 수도 있지만 보통 짐승들은 어둡고 사람들 눈에 띄지 않는 곳에 새끼를 낳는다는 사실과도 들어맞지 않았다. 어쨌든 어미 몸속에서 뛰쳐나온 새끼들 중 일부는 어미처럼 검은 덩어리가 되어 탔고, 살아남은 한두 마리도 온몸에 피를 뒤집어쓰고 곧 죽을 것처럼 꿈틀거리고 있었다. 여자가 비명을 지른 것도 당연했다. 나는 꼼짝할 수 없었다. 몸을 일으키고 싶은데 몸이 말을 듣지 않았다. 그러지 않으려고 했지만 내 의지와 상관없이 두 눈은 아직 사지를 버르적거리고 있는 새끼 고양이들을 뚫어지게 바라보고 있었다.

"시통아! 얼른 방에 들어가!"

여자가 간신히 정신을 차린 듯 나를 보고 소리쳤다. 그 소리를 듣고도 나는 일어설 수 없었다. 그러자 여자가 내 겨드랑이 아래 두 손을 집어넣어 일으켰다.

"고양이가 대신 죽었기에 망정이지, 네가 다칠 뻔했다."

아빠가 다가와 빗자루로 어미 고양이와 새끼 고양이를 쓸어 담으며 말했다. 네가 다칠 뻔했다, 의 네는, 내가 아닌 그 여자였다. 고양이 일가족이 그 꼴을 하고 있지 않았다면 여자는 아직 잠이 덜 깬 상태로 쌀을 씻기 위해 다라이에 손을 넣었을 테고, 폭풍우로 끊어져 다라이 속에 잠겨 있던 고압선이 고양이 대신 여자를 통구이로 만들었을 것이다.

그 여자가 우리 집에 온 뒤로 아빠가 그 여자를 걱정하는 모습은 처음이었다. 아빠는 이 여자를 정말 자기 자식이라고 생각했던 것일까. 그랬다면 이제까지 그렇게 냉담한 마음을 유지하지 못했을 것이다. 계모인 엄마에게 구박받도록 내버려 둔 것은 기둥서방의 딸일지 모른다고 아빠도 의심하고 있다고 내심 생각했다.

엄마는 계모니까 계모라는 타이틀에 걸맞게 행동한 것이지만 아빠는 단 한 번도 여자에게 애정 표현을 한 적이 없었다. 여자 또한 아빠를 보는 눈빛은 담담했다. 본능적으로 생존의 법칙을 터득했는지 모르지만 여자는 우리 집에 온 첫날부터 엄마를 엄니, 혹은 엄마라고 불렀지만 아빠는 아빠라고 부른 적이 단 한 번도 없었다.

나는 여러 번 의식적으로 아빠와 그 여자를 지켜보았다. 할머니와 엄마와 그 여자 사이의 삼각 릴레이처럼, 아빠도 그 여자를 바라보는 시선이 내가 알 수 없는 그 비켜나는 순간에 번뜩이는 무언가가 있으리라는 것이었다. 할머니와는 또 다른, 자기 자식에 대한 숨긴 애착 같은 걸 우리에게 들키지 않기 위해 더 깊은 곳에 감정을 감추었을 것이라고 생각한 것이다. 그러나 아빠에게 그 여자는 이웃집 처녀나, 집안일을 도와주러 와 있는 먼 친척 이상은 아니었다. 그저 피곤하다는 눈빛이었다. 이 세상이 너무 나를 피곤하게 해서 좀 쉬고 싶다는 눈빛이었다. 하긴, 신데렐라에도, 장화 홍련에도, 구박하는 계모는 있어도 그녀들의 아빠에 대한 이야기는 중요하게 다뤄지지 않는다. 모든 이야기에는 계모와 딸들과의 관계에서 벌어지는 암투이지, 원인 제공자인 아빠에 대한 이야기는 빠져 있다.

아직 살아서 꼼지락거리던 피투성이의 고양이 새끼도 비질에 쓸려 쓰레기봉투에 담겼다. 여자는 '네가 다칠 뻔했다'는 아빠의 말을 못 들은 척하며 나를 방문 앞에 내려놓고 부엌으로 들어갔다. 어쩌면 여자는 아직 마음이 안정되지 않아 경황이 없어서 별 의미를 두지 않았는지 모르지만 나는 달랐다. 으스스 떨려서 내려다보았더니 팔에 소름이 돋아 있었다. 소름 하나하나에 털이 곤두서 있었다. 인간의 몸도 고양이처럼 털로 뒤덮여 있었다. 눈물모양의 지붕저 너머에서 터지는 새벽빛을 보면서 나는 그 소름이 추워서가 아니라 질투심 때문이라는 것을 깨달았다.

엄마는 아빠 무릎에서 밥을 먹은 자식은 영미 너뿐이라는 말을 하곤 했다. 그 말은 아버지의 그 여자에 대한 사랑에 비하면 아무것도 아니었다. 어린 내가, 그 털뭉치 같은 혐오스러운 고양이의 시체 앞에 쪼그리고 앉아 있는데도, 아직 고압선이 담겨 전기가 통하고 있는 빗물이 출렁이는 다라이에 부주의하게 손을 담글 수도 있었는데도, 아버지는 오직 그 여자만을 걱정하고 있었다.

통고양이구이 사건은 내가 그 여자의 존재를 막연히 싫어하던 것에서 아버지를 놓고 질투의 대상으로서 미워하기 시작한 계기가 된 게 분명하다. 하지만 그 당시 우리 집을 무겁게 짓누르던 공기에 비하면 아버지의 사랑을 독차지하려는 내 질투 따위는 아무것도 아니었다.

할머니와 엄마와 그 여자의 삼각 시선 속에 언제 언성을 높일지 모르는 긴장감, 오빠의 허리띠 버클 소리만 덜그럭거려도 잠에 곯아떨어졌던 엄마가 잠꼬대로라도 오빠의 욕망을 감시하려는 노력들, 식구들이 돈을 벌어 오는 족족 아직 갚지 않은 보증빚에 차압당하는 맥 빠진 현실, 이곳보다 더 나쁜 곳으로 떠날 수도 있다는 밑바닥 인생의 두려움들.

이런 집안의 공기 속에서 아빠가 유일하게 늦둥이 나만을 무릎에 안아 키웠다는 엄마의 증언에 매달려 그 여자와 경쟁했던 것이다. 엄마의 주장은 집에 정을 못 주고 바깥으로만 떠돌던 아빠여서 남편의 애정을 바탕으로 한 가정을 꾸렸다는 알리바이였을 뿐이었는데.

이날의 영상은 감전된 고양이와 비질을 하던 아버지, 처음으로 그 여자를 걱정하던 아버지의 표정이 하나의 화면으로 겹치거나 테라코타처럼 선을 사이에 두고 대칭으로 자주 나타나곤 했다. 통고양이구이 사건과 그 이후에 일어난 사건들은 서로 관계가 없는 것처럼 보이지만 실은 밀접한 관계가 있었다. 이 사건은, 우연과 운명은 한 태에서 나온 쌍둥이라는 말을 입증이라도 하듯이 그 여자와 우리 가족에게 닥칠 불행의 전조였다.

엄마의 학교 방문

나는 창틀에 걸터앉아 엄마가 언제쯤 운동장에 들어서나 지켜보았다. 점심시간이라 줄넘기를 하는 아이들, 땅따먹기를 하는 아이들과 그 사이로 축구를 하는 아이들로 정신없었다. 하늘은 구름 한 점 없이 파래서 마구 구겨 버리고 싶었다. 교실에서는 아이들 사이에 유행 중인 공중부양 놀이가 한창이었다. 양반다리로 앉은 애 양쪽에 두 아이가 검지로 겨드랑이를 받치고 주문을 외우는 소리로 시끄러웠다.

드디어 엄마가 교문을 들어서서 운동장을 가로질러 걸어오는 게 보였다. 엄마 유일의 외출복인 하늘색 한복에 양산을 쓰고 발볼을 꽉 조이는 버선에 고무신을 신고 운동장을 내리쬐는 뜨거운 햇볕을 피해 그늘을 골라 디디며 교무실을 향해 걸어가고 있었다.

나는 창문에서 떨어져 내 자리에 앉았다. 가슴이 두근거렸다. 공중부양에 실패한 아이가 나동그라지면서 나무 바닥이 울리는 소리, 이어지는 아이들의 웃음소리와 발 구르는 소리. 이런 소란함과 무관하게 엄마가 지금쯤 교무실에 들어갔겠지, 선생님과 인사를 나누겠지, 의자에 앉겠지, 내 신경은 온통 교무실을 향해 곤두서 있었다.

수업을 마치는 종이 울리고 선생님이 들어왔다. 선생님은 아무 일 없었던 듯, 엄마를 만나고 와서도, 쉬는 시간에도, 나를 따로 부르거나 의미심장한 눈맞춤을 하지 않고 무덤덤했다. 종례시간, 다른 때와 다를 바 없이 숙제와 주의사항을 이르고 청소당번에게 지시를 내렸다. 반장이 일어서서 선생님께 "차렷! 경례!"를 하기 전, 잠깐 선생님이 나를 쳐다보는 것 같았지만 그건 내 착각일 수 있다.

나는 불안한 안도감을 내쉬었다. 이런 불안한 안도감은 그 이후 학창 시절 내내 경험하게 되었다. 시험공부를 하지 않았는데 잠깐 눈을 붙인다는 것이 아침이 되었을 때, 버스를 놓쳐 지각을 하게 되었을 때, 영어 숙제를 안 해갔는데 일어나서 해석해야 했을 때, 안달복달하거나 초조해하는 대신 불행의 전조로서 나른한 안도감에 사로잡히는 것이다. 물결이나 바람처럼, 먼 데서 달려온 북소리처럼, 내 속 깊은 곳에 울려오는 음험한 목소리를 피해 신경이 미리 느슨하게 끈을 놓았다.

내가 고압선집에 첫발을 디디는 순간 엄마는 어디선가 달려와 아무 말도 없이 빗자루로 나를 두들겨 팼다. 엄마의 거친 콧김과 피부 속을 파고드는 통증이 느껴질 때마다 질러 대는 내 비명만이 고압선집에 가득했다. 내 온몸에 피멍이 들고 나서야 엄마는 정신이 돌아온 사람처럼 빗자루를 내동댕이치며 왜 나를 때렸는지 말했는데 종합해 보면 결국 그 여자 때문이었다.

엄마는 내가 공부는 잘 하지 못하지만 학교생활만큼은 문제가 없을 거라고 믿고 있었다. 정신 빠진 애처럼 시멘트턱에 앉아서 달동네를 내려다보며 멍하니 있을 때가 많고, 발육이 나이에 비해서 좀 늦긴 하지만 요즘 애들처럼 발랑 까지지 않았을 뿐만 아니라 오빠나 언니도 안 읽는 세계명작씩이나 되는 소설책을 들여다보기도 하고, 당신도 모르는 깜짝 놀랄 만한 어려운 낱말을 구사하는 내가 학교에서 손쓸 수 없는 말썽꾸러기로 큰 물의를 일으킬 것이라고는 상상하지 못했다.

엄마가 정중하게 인사를 올리고 교무실에 들어갔을 때 선생님은 검정장부의 ×표를 보여 주며 '책임감 없는 아이'라는 총평을 내렸다. 엄마는 누군가 엄마의 목을 조르는 것처럼 숨도 쉬기 어려웠다. 간신히 마음을 수습하고 비린내 나는 손등으로 눈물을 훔치는 엄마에게 선생님은 무책임한 행동을 일삼는 내 미래를 걱정하며 준엄하게 꾸짖은 뒤, 친언니로 알고 있는 그 여자의 위문편지 사건을 거론했다. 동생을 그렇게 끔찍하게 챙기는 언니는 교편생활 십여 년 만에 처음 보았다, 그렇게 착하고 반듯한 언니가 있으니 영미도 점차 좋아질 거라고, 아이들은 자라면서 열두 번도 더 변하는 게 아니냐고, 자매가 달라 봤자 얼마나 다르겠냐고, 병 주고 약을 주었던 것이다. 친딸은 기껏 학교에 보내 놨더니 욕이나 듣고, 엄마 일생일대의 불행을 안겨 준 그 여자는 반듯한 딸로 칭찬받는 꼴을 엄마는 견딜 수 없었다. 그 분풀이를 빗자루를 이용해서 내 몸뚱이에 풀었다.

내가 ×표를 많이 받아서가 아니라 그 여자의 위문편지 때문에 엄마에게 매를 맞았다는 게 억울하고 분했다. 아버지의 사랑에 이어 엄마의 사랑마저 내게서 빼앗아 가 버렸다. 언젠가 춘희할머니가 격앙된 목소리로 나를 꾸짖었다.

"사람들이 어쩜 그럴 수 있니. 아무리 계모라지만 허리가 다쳐서 꼼짝 못하는 애를 파스 하나 안 사다 주고 소처럼 일을 부려먹으니 말야."

정확하게 말하면 나를 혼낸 게 아니라 엄마를 혼낸 거였다. 나도 엄마를 별로 좋아하지 않지만, 내가 좋아하는 춘희할머니가 나를 통해 엄마를 혼내는 건 정말이지 기분 나빴다. 여자가 허리를 다친 것을 전혀 모르는 우리 식구로서는 더욱 황당한 일이었다. 허리를 못 편다든지, 자리를 펴고 누워 있어야 허리가 아프다는 사실을 알고 파스를 사다 주든지 뜨거운 찜질을 해 주든지 할 거 아닌가. 소처럼 쉬지 않고 벙실벙실 웃으며 일하는데 허리가 아픈지 발목이 아픈지 알 수 있는가.

우리한테는 아무렇지 않은 척 늘 미소를 잃지 않다가 춘희할머니한테 가서는 신세타령하는 것도 얄미웠다. 보나마나 엄마는 악덕 계모에 언니와 나는 팥쥐가 되었을 것이다. 춘희할머니는 당신 딸도 어딘가에서 홀로 떨궈져 고생하며 지낼 것으로 여기고 엄마 없이 구박받는 그 여자를 안쓰러워하던 참이라 더 편들었을 것이다.

그 여자와는 이대로 살 수 없다. 식구들이 모두 잠들어 방의 불도 꺼진 그 밤 나는 홀로 어둠에 잠긴 시멘트턱에 앉아 다짐을 했다. 별도 달도 선명하게 떠 있었다. 푸른 밤의 결 너머로 이슬람사원의 눈물 모양 지붕이 덩어리로 뭉쳐 보였다. 비쩍 마르고 작은 몸에 휘감긴 욱신거리는 상처 위에 그 여자가 발라 준 안티프라민의 박하향이 눈을 따끔거리게 했다.

눈물이 흘렀다. 울음 끝자락이 목울대 어딘가에 머물다 이상한 동물 소리를 내곤 다시 목울대 뒤로 넘어갔다. 너무 조용해서 조용한 걸 잊고 있다가 발작적으로 귀뚜라미들이 울어 제치면 비로소 조금 전의 끔찍했던 침묵을 기억하고 소름이 돋았다. 나는 또 다짐했다. 그 여자랑 이대로는 절대로 같이 살 수 없다고.

월남에서 돌아온 박 상사와 오렌지

"위문편지 답장이 왔네. 이것 봐라. 네 언니가 그렇게 애쓰더니 답장이 왔잖니. 언니 반만큼이라도 닮아 봐라."

선생님이 편지 한 통을 주면서 말했다.

위문편지 답장을 처음으로 받은 건 기분이 좋았지만 그 여자 때문에 다시 기분이 나빠졌다. 아직 엄마한테 맞은 멍이 완전히 가시지 않은 상태였다.

편지봉투 앞면에는 분명 '박영미'라고 고딕체로 내 이름이 적혀 있었다. 우리 반에서 유일하게 나한테만 답장이 와서 친구들이 나를 둘러쌌다. 편지의 첫머리에 '시통이 언니에게'라고 쓰여 있었다. 아이들이 "시통이가 누구야?"라며 수군거렸다. 그리곤 곧 시통이가 나라는 것을 알곤 신이 나서 야, 영미 별명 시통이래, 라며 책상을 두들기며 웃어 댔다. 나는 너무 창피해서 편지를 가방에 넣고 싶었지만 몇몇 아이들이 계속 편지를 읽고 있어서 그럴 수가 없었다.

의례적인 날씨와 간단한 안부 인사 뒤에 내무반 군인들이 동생을 사랑하는 언니의 마음에 감동을 받았다, 언니를 꼭 한번 만나고 싶다는 둥, 거의 그 여자에 대한 얘기뿐이었다. 나는 참을 수 없이 화가 나서 편지를 가방 속에 쑤셔 넣었다.

그 여자에게 한바탕 쏘아붙일 기세로 고압선집에 들어섰는데 육촌오빠라는 사람이 할머니와 이야기를 나누고 있었다. 육촌오빠는 독재정권에 반대하는 데모를 하다가 강제로 영장이 발부돼서 군 입대를 하게 됐고, 마침 베트남 파병 공고를 보고 홧김에 돈이나 벌어야겠다고 자원했다가 지뢰를 밟아 상이용사로 조기 귀국할 수밖에 없었다고 했다. 상이용사가 할 수 있는 건 아무것도 없어서 장사에 일가견 있는 아빠의 조언을 들으려고 찾아뵌 것이라고 우울하게 털어놓았다. 육촌오빠 옆에는 한 쌍의 목발이 나란히 누워 있었다.

"이 사람아, 살아 있는 것만으로도 감사할 일이구만."

할머니는 육촌오빠의 손을 잡으며 감격한 표정을 지었다. 매사에 감사라고는 눈곱만큼도 모르고, 식충이들만 우글거리는 집에 산다고 불평불만인 할머니가 다리가 잘렸는데도 감사하라니 어이가 없었다.

나는 자꾸만 목발 옆의 오렌지 박스에 눈길이 갔다. 한겨울 리어카에서 파는 저절로 인상이 찡그려지는 신 귤은 먹어 봤지만 오렌지는 먹어 보기는커녕 본 것도 처음이었다. 할머니는 내가 자꾸 오렌지 박스를 흘깃거리는 게 민망했는지 너는 손님이 왔으면 인사를 해야지 인사할 생각은 않고 왜 정신 사납게 왔다 갔다 하는 거냐고 호통을 쳤다.

"안녕하세요……."

"응. 그래. 아주 공부 잘하게 생겼구나."

"근데 육촌오빠면 저랑은 어떻게 되는 거예요?"

촌수는 ㅊ자만 들어도 머리가 지끈거리지만 공부 잘하게 생겼다는 육촌오빠의 말에 할머니가 "공부를 잘하긴 개뿔, 부잡스러워서 지 에미한테 직사게 맞았구만."이라는 말이 튀어나올까 봐 화제를 돌렸다. 어른들은 자신들이 아는 걸 물어보면 무척 좋아하니까.

"육촌이 뭣이간디, 당숙아들이 육촌이제."

할머니는 나를 무시하면서 더 복잡한 촌수를 끌고 왔다.

"그러니까 너희 아빠와 우리 아빠가 사촌인 거지. 그 자식들끼리는 육촌이 되고, 내가 너희 아빠를 당숙이라고 부르는 거고."

아까 할머니가 육촌오빠를 일컬어 어려서부터 신동 소리를 들을 정도로 똑똑했고, 그 기대에 걸맞게 좋은 대학에 들어갔다고 칭찬한 대로 육촌오빠는 친절하고 자세하게 설명해 주었다. 나에게는 할머니 설명이나 육촌오빠 설명이나 이해가 안 되는 건 마찬가지였지만 사촌이라는 말이 나와서 대충 알아들은 척했다. 나중에 아빠가 퇴근해서 "육촌이라는 건 먼 촌수가 아니니까 그동안은 소원히 지냈다 해도 앞으로는 친하게 지내라."고 결론만 얘기했다. 아빠가 이럴 때는 나랑 제법 통한다.

아빠가 퇴근해서 왔는데도 오렌지 박스를 풀지 않았다. 명숙이한테 놀러 가지도 않고 시멘트 턱을 오르내리며 "오렌지나 한 접시 내와 봐."라는 아빠의 말이 떨어지길 기다렸지만 두 남자는 한여름에 방문까지 닫고 무슨 심각한 대화를 나누는지 끝날 줄을 몰랐다.

드디어 아빠가 방문을 열고 나오더니 나에게 육촌오빠를 버스 정류장까지 길 안내를 하라고 명령을 내렸다. 어른이 길 모를까 봐 안내해 주어야 하나, 라고 의아했는데 육촌오빠 다리가 불편하니까 도와주라는 의미 같았다. 할머니는 저녁을 먹고 가야지 이렇게 가는 법이 어딨냐고 말렸는데, 육촌오빠는 아빠가 이렇게 몰락한 걸 모르고 찾아와 후회하는 눈치였다.

육촌오빠는 겨드랑이를 난간에 끼고 한쪽 다리를 지렛대 삼아 힘을 못 쓰는 다리를 끌어내렸다. 90도계단의 경사가 급하다 보니 잘못하면 고꾸라질까 봐 한 칸 내려오는 것도 시간이 꽤 걸렸다. 내 마음은 오렌지에 가 있어서 내려오는 속도가 더 더디게 느껴졌다. 1층 계단참에 도착해 육촌오빠는 잠시 숨을 고르러 쉬다가 인상을 찡그렸다. 한여름의 높은 기온으로 숙성된 공중변소 냄새가 장난 아니었다. 변소 청소를 우리 쪽에서 하기엔 춘희대폿집 손님들이 엉망으로 만들어 놓으니 억울했고, 춘희대폿집 입장에서는 우리 식구가 많으니까 자기네가 하기엔 억울하다고 서로 미루었다. 날이 갈수록 지린내가 눈을 시리게 하는 최악의 상황을 연출했지만 서로 청소 문제를 놓고 타협점을 찾지 못했다. 언제쯤 이 냄새나는 동네와 집에서 벗어날 수 있을까. 향기로운 냄새는 곧 부자와 같은 의미였다.

육촌오빠는 간신히 1층까지 내려와서는 땀으로 범벅된 이마를 닦더니 춘희대폿집 앞에 침을 뱉었다. 좋은 대학에 다녔다는 육촌오빠가 남의 집 가게 앞에 침을 뱉는 무례한 행동에 놀라 쳐다보았다. 육촌오빠는 그런 내 시선을 의식하지 않고 내가 내미는 목발을 빼앗아 겨드랑이에 끼더니 더러운 골목길을 내려다보며 중얼거렸다.

"여긴 베트남하고 똑같아, 혼종의 도시."

나는 어려운 소설책을 많이 읽어서 '작렬'처럼 어려운 단어도 잘 알고 있지만 혼종이라는 말은 처음 들어 봐서 무슨 뜻이냐고 물어 보았다. 육촌오빠는 인상을 잔뜩 찡그리고 잠시 생각에 잠겼다.

"흠……, 쉬운 말로 하면 짬뽕이라고 할 수 있겠네."

아까 촌수를 설명할 때처럼 웃으며 설명해 주지 않고 짜증 섞인 말투였다. 더 물었다가는 내 얼굴에 침을 뱉을 험악한 인상이어서 더 묻지는 못했다. 그러나 짬뽕이라는 말에 짬뽕에 딸려 나오는 양파가 연상되었고, 양파를 떠올리자마자 자동으로 여자의 암내가 떠올랐다. 나도 모르게 웃음이 킥킥 새어 나왔다. 여기가 온통 암내 나는 세상이라면 아마도 가장 견딜 수 없는 사람은 언니일 것이다. 그 여자와 하룻밤 자고 나서 이불을 털며 호들갑을 떨었으니까.

가는 길 대충 아니까 그냥 집에 들어가라는 육촌오빠의 말에 건성으로 인사를 하고 90도계단을 두 칸씩 뛰어올라 왔다. 내가 없는 사이에 오렌지를 다 먹어 버릴지도 모른다는 조바심에 다리에 쥐가 나는 줄도 모르고 헐떡이며 뛰어 올라갔다. 조금 전 힘겹게 이 계단을 내려가던 육촌오빠의 모습이 떠올랐다. 그 오빠는 월남전에 참전한 대가로 미군피엑스에서 마음껏 오렌지는 살 수 있지만 다시는 계단을 이렇게 두 칸씩 오르내릴 수는 없을 것이다. 월남에 다리 한 짝을 묻고 온 육촌오빠가 짬뽕 같은 한국에서 온전한 정신으로 살아갈 수는 없을 것이다.

고압선집에서는 내 예상대로 할머니가 오렌지를 양손에 붙들고 시멘트턱에 쭈그리고 앉아서 오렌지 즙을 뚝뚝 흘리며 먹고 있었다. 할머니의 표정은 아빠를 뒤주에 숨겨 상이용사가 되지 않게 한 게 백번 잘한 일이라는 듯했다. 여자는 나를 보자 할머니 옆에서 먹고 있던 오렌지를 가지고 황급히 부엌으로 들어갔다. 여자가 오렌지를 먹고 있던 것을 내 눈으로 직접 본 것은 아니지만 할머니 자리의 오렌지 국물 외에 또 하나의 자국이 있었던 것으로 미루어 짐작할 수 있었다.

여자는 우리 식구들이 있는 데서는 오로지 밥밖에 안 먹었다. 밥도 조금씩밖에 안 먹는데 여자가 우리 집에 처음 왔을 때보다 살이 찐 걸 보면 부엌에서 몰래 먹는 게 틀림없었다. 나는 여자가 오렌지를 부엌에서 먹는지 귀를 기울여 보았지만 아무 소리도 들리지 않았다. 여자는 이빨이 몽땅 빠져 잇몸으로 오물거리는 늙은이처럼 소리 내지 않고 먹는 법을 알고 있었다.

"촉새처럼 먹을 복이 있는 갑다야."

할머니는 중요한 순간에 내가 나타나자 아쉬운 듯이 오렌지 두 쪽을 떼어 내밀었다.

"안 먹을래요. 할머니 드세요."

오렌지를 먹고 싶어 침이 고이고, 눈은 오렌지에서 떠나지 않았지만 할머니의 침과 더러운 손때가 묻은 오렌지를 먹고 싶은 생각은 없었다. 그럼 새거 하나 꺼내 먹으라고 할 줄 알았는데 "배아지가 불렀구만. 귀하디귀한 오렌지를 다 안 묵고."라며 나에게 내밀었던 두 쪽을 당신 입에 홀랑 넣었다.

나는 조금도 할머니나 이 여자를 보고 싶지 않았다. 오렌지를 게걸스럽게 먹고 있는 것을 보니 육촌오빠의 다리를 뜯어먹는 식인종 같았다. 위문편지 답장만으로 속이 상했는데 이런 이상한 꼴을 보고 있으려니 머리가 돌아 버릴 것 같았다.

나는 명숙이의 의미 없는 수다가 그리웠다. 90도계단을 내려가다가 미미네 집에 귀를 기울였다. 트윙클 트윙클 리틀스타…… 미미의 가느다란 목소리가 들리는 것 같았다. 하지만 이제는 이곳에 사람이 살지 않는다. 미미는 이사를 가 버렸다. 아리랑 택시가 춘희 대폿집 앞에 대기하고 있던 날, 그날 한밤중에 미미네는 몰래 이사를 갔다. 미미 엄마가 늦잠도 안자고 아리랑 택시를 대절해서 외출한 것은 그동안 신청해 놓은 미미의 미국 입양이 갑자기 이루어져서였다. 명숙이 말에 따르면 미미는 백인 가정에 입양해 갔다고 했다. 미미와 제대로 작별인사도 나누지 못했다. 학교를 다니고 싶어 했던 미미가 미국에서는 한국에서처럼 놀림 받지 않고 학교를 잘 다니길 조용히 기도했다.

• • •

저녁에 엄마가 오렌지 배급을 새로 지시했다. 할머니는 은근슬쩍 넘어가려는 의도로 엄마에게 오렌지를 하나 주었는데 엄마가 몇 개 사 왔는데 하나밖에 안 남았냐면서 고개를 갸우뚱했다.

"너는 먹었니?"

오빠에게 묻자 오빠가 고개를 끄덕였다.

"너는?"

엄마의 애정 어린 말에 나는 내가 지을 수 있는 가장 애처로운 표정으로 고개를 절레절레 흔들었다. 할 수 있다면 침 묻은 오렌지 두 쪽만 주더라고 할머니의 행위를 고자질하고 싶었다.

"어머니, 오렌지 더 없어요?"

"몇 개 더 있지만……."

"몇 개 남았는데요?"

"글쎄, 내가 세어 보지는 않았는디……"

"다 가져와 보세요."

"거시기, 글피에 평리아짐도 온다고 해서 제해 놓고……"

"그분 드릴 거 없어요. 다 가지고 나와 보세요."

한군데 숨겨 놓은 게 아닌지 할머니는 부엌과 방을 두 차례 들락거린 끝에 모두 여덟 개의 오렌지를 수거해 왔다. 엄마는 두말 않고 내게 두 개를 건넸다. 두 개 모두 내게 주는 줄 알고 감격했는데 "하나는 뒀다 언니 줘라."고 지시했다. 이 집에서 엄마가 믿는 사람은 나뿐인 것 같아 갑작스럽게 막중한 책임감을 느꼈다.

할머니와 그 여자가 오렌지 먹는 모습을 두고 육촌오빠의 다리를 뜯는 식인종 같다고 했지만 나도 똑같이 그렇게 먹을 수밖에 없었다. 물이 많은 오렌지는 턱이고 손이고 가리지 않고 흘러내려 고개를 최대한 내밀고 한 방울이라도 흘릴 새라 허겁지겁 들이켜야 했다. 시면서 달면서 잇몸과 입천장 어딘가를 간지럽게도 시원하게도 하는 야릇한 맛에 걸신들린 듯 오렌지 한 개를 해치웠다. 손가락에 남은 즙까지 쪽쪽 빨며 아래를 내려다보았다. 할머니와 그 여자가 남긴 오렌지 얼룩 옆에 내 얼룩이 나란히 자리 잡고 있었다. 나를 행복감에 빠뜨렸던 오렌지의 시큼하고 달콤하고 간질이는 환상적인 즙은 더러운 얼룩이었다. 육촌오빠가 90도계단을 내려가느라 흘린 땀과 비슷했고, 혼종의 도시라며 욕하듯이 뱉은 침과도 같았다. 오렌지가 있는 한 지구를 떠나지 않겠다는 각오까지 하게 만들었던 오렌지의 환상적인 즙은 처참한 배설물로 남았다.

여자는 잠옷으로 갈아입으면서 무슨 노래인가 흥얼거렸다. 월남에서 돌아온 새까만 박 상사~ 내 맘에 들었어요~ 언니가 십일조를 바쳐 사 온 김추자 판에 실린 '월남에서 돌아온 김 상사'를 개사해서 부르고 있었다. 그리곤 이불 속으로 들어갔다. 아마도 내가 잠들기를 기다렸다가 자기 엄마 사진을 보고 편지를 쓰려고 하는 것 같았다. 얼마나 조심하는지 그날 이후 더 이상 나에게 사진이나 편지를 들킨 적이 없었다.

나는 가방을 정리하는 척하다가 구겨져 있는 위문편지를 여자에게 집어던졌다. 여자는 구겨진 편지지와 봉투를 펴 보더니 소리를 질렀다.

"와! 정말 내 말 맞지? 답장 왔지?"

자기한테 온 편지도 아닌데 흥분해서 날뛰었다. 편지는 모두 두 장이었다. 한 장은 편지이고, 다른 한 장에는 '아이는 어른의 아버지 나는 내 하루하루가 자연이 되기를 바라노라……'라는 시가 적혀 있었다. 오래 읽을 내용이 없는데도 여자는 반복해서 읽었다. 내 얘기보다 자기 이야기가 더 많은 것에 대해 미안해하지도 않았다. 한 술 더 떠서 "어때? 위문편지 답장 첨 받아 보니까 기분 좋지?"라고 말해서 어이없게 만들었다. 그리고는 줄만 그어져 있는 밋밋한 편지지에 또 답장을 쓰기 시작했다.

'나한테 온 편지를 왜 자기가 답장을 쓰고 난리람?'

너무 뻔뻔해서 이불을 뒤집어쓰고 잠을 잤다. 그러나 여자의 그 답장이 나중에 여자를 우리 집에서 내쫓는 구실이 되리라는 것을 그때는 그 여자도, 나도 꿈에도 생각하지 못했다.

콧수염할아버지를 초청하다

할머니가 50년 이상을 고수해 온 쪽진머리를 숏커트로 잘랐다. 할머니가 춘희할머니에 비해 터무니없이 나이 들어 보이는 것은 유달산 아래서 농사를 짓느라 새까맣게 타고 고생해서 주름이 많은 탓도 있지만 무엇보다 쪽진 머리 때문이었다. 쪽질 때는 절대로 부스스하면 안 되기 때문에 계속 동백기름을 덧발라 퀴퀴한 냄새까지 났다.

"할머니, 여기 윤정희나 문희 좀 봐. 다들 짧은 커트머리 했잖아. 얼마나 예뻐?"

"이 은비녀가 바로 느이 할아버지가 나귀 타고 장에 가서 사 온 것이여. 그란디 싹둑 잘라 버리면 쓰간디? 그람 안 되재."

"춘희할머니가 젊어 보이는 건 머리를 짧게 잘라서야."

예쁜 여배우에도 꼼짝 않던 할머니가 춘희할머니와 비교하자 즉각 효과가 나타났다.

며칠 후 엄마가 점심식사에 콧수염할아버지를 초대해 놓은 상태였다. 엄마의 목적은 이슬람사원이 완성되고, 콧수염할아버지가 자신의 나라로 돌아가면 콧수염할아버지의 빽으로 아빠를 중동 건설회사에 취직시켜 달라고 부탁하려는 데 있었다. 중동은 우리나라 회사보다 세 배나 많은 월급을 준다고 했다. 반면에 할머니는 자신의 매력을 발산해서 춘희할머니의 코를 납작하게 눌러 줄 기회라고 벼르고 있었다.

콧수염할아버지는 3대가 와글와글 모여 산다는 것만으로 화목한 가정이라면서 초대해 줘서 고맙다고, 함께 식사를 하면서 화목한 분위기를 느끼고 싶다고 했다. 그 여자로 인해 우리 집은 결코 화목한 가정이 될 수 없지만 콧수염할아버지 나라에서는 부인을 네 명까지도 둘 수 있다니, 그 여자의 탄생의 비밀을 알았다 해도 화목한 가정이라는 믿음에는 변함이 없었을 것이다.

할머니는 당장 미용실로 달려가서 한창 유행 중인 거지커트로 자르고 왔다. 춘희할머니 머리보다 더 짧았다. 첫날은 미용실에서 고데기로 예쁘게 손질해 주어서 세련되게 변신한 모습에 매혹당했다.

"흐미, 씨언하당게. 나도 물장사 할마씨처럼 젊어 보이냐?"

할머니는 머리를 매만지며 거울을 떠나지 않았지만 며칠 후 머리를 감고 나니 잿빛 머리털이 제멋대로 뻗친 모습이 진흙탕 속에서 뒹군 길 잃은 삽살개처럼 흉측했다. 아무리 참빗으로 빗어 넘기고 동백기름을 발라 넘겨도 춘희할머니처럼 가지런하게 올백이 되지 않았다. 춘희할머니는 층을 많이 내지 않은 단발커트였는데 할머니의 머리는 힘없이 이마로, 귀 뒤로 목덜미로 가닥가닥 흐트러진 게 딱 거지꼴이었다. 왜 거지커트라는 이름이 붙었는지 알 만했다. 할머니도 불불이 곤두선 머리털에 충격을 받았는지 춘희할머니처럼 두피에 착 달라붙게 하기 위해 쪽질 때보다 더 머리를 안 감았고, 동백기름을 덧바르는 양은 늘었다. 나는 밤마다 할머니 옆에서 잠들면 발 냄새보다 더한 변소 푸는 악몽에 시달렸다.

• • •

드디어 콧수염할아버지를 초대한 날이 되었다. 할머니는 거지커트를 한 게 실패로 돌아가자 실핀을 열 개가량 동원해서 머리카락을 두피에 붙이는 데 성공을 했다. 우리의 만류에도 불구하고 유달산에서 회갑연 때 입었던 한복을 입어 보고는 머리를 잘라 버린 것을 후회했다. 거지커트에 꽃분홍 한복은 너무 안 어울렸다. 이 모든 것을 커버하려고 춘희할머니를 흉내 내서 언니의 빨간 립스틱까지 발랐는데 그게 더 가관이었다.

할머니는 나에게 콧수염할아버지가 오냐고 수십 번도 더 물은 끝에 내가 "올라오세요!"라고 소리치자 한복을 떨치고 마중을 나갔다. 그러나 콧수염할아버지의 꼬리를 붙들고 춘희할머니가 나타나자 할머니는 망연자실했다. 춘희할머니와의 결투에서 번번이 패한 전력이 있는 할머니는 기분이 나빴지만 신중하기로 결심했다. 자칫 콧수염할아버지 앞에서 망신을 당하는 날에는 모든 게 끝이었다.

"술장사 하시는 분 납시셨구만이라우."

비꼬는 말임을 알지 못하는 콧수염할아버지는 할머니의 환대에 기뻐하며 매너를 발휘해 춘희할머니에게 손을 내밀었다. 춘희할머니는 콧수염할아버지의 손을 살포시 붙들고 고압선집으로 올라왔다. 방이 좁고 날도 더워서 마당에 돗자리를 깔고 상을 폈다. 춘희할머니는 양고기를 구울 이동풍로를 두 군데 설치하고 석쇠를 올렸다. 춘희할머니가 콧수염할아버지를 위해 특별히 개발한 양념이 밴 양꼬치가 석쇠 위에서 지글거리는 소리를 내며 구워지기 시작했다.

자신을 위해 앉아 있을 틈도 없이 불판 앞에서 애쓰는 춘희할머니를 바라보는 콧수염할아버지의 시선은 사랑하는 사람을 바라보는 눈길이었다. 콧수염할아버지 나라에서는 손님을 초대하면 주인이 융숭하게 대접하는 게 관례라는데, 주인인 할머니는 활동하기 거추장스러운 한복을 입어 상 앞에 좌정하고 있고, 손님인 춘희할머니가 바쁘게 일하는 모습이 더 애틋해 보인 것이다. 그게 할머니의 질투심에 석유를 들이붓는 꼴이 되었다.

1층에서 곱창구이를 하는데도 경제적인 형편과 할머니의 자존심 때문에 춘희대폿집에서 외식을 해 본 적이 없는 우리 식구들은 직화구이로 익힌 양꼬치 맛에 빠져 정신없이 먹어 치웠다. 아빠와 콧수염할아버지만 간간히 이야기를 나눌 뿐 다들 먹는 데 열중해 있었다. 반면 춘희할머니는 우리에게 양고기를 공급하느라 잠시도 앉아 있지 못했다. 엄청나게 먹어 대는 통에 오늘을 위해 특별히 떼어 온 양고기가 바닥나서 저녁 장사에 쓸 곱창을 가지러 대폿집까지 내려갔다 왔다.

콧수염할아버지는 자신 때문에 하인처럼 일하는 춘희할머니가 안타까워 좋아하는 양고기도 몇 점 안 먹고 안절부절못했다. 할머니는 젊어 보이기 위해 50년 동안 간직해 온 머리도 과감하게 커트하고 며칠을 들여 꽃단장을 한 자신은 아랑곳 않고 춘희할머니의 동선만 좇는 콧수염할아버지의 마음을 붙들려고 궁리했다. 맞은편에 앉은 콧수염할아버지를 민망하리만치 뚫어져라 바라보다 칭찬할 점을 찾아냈다.

"와따메, 눈알이 대빵 커불구마이, 조선 사람이랑은 때깔이 영판 다르당게."

"예?"

비록 한국말을 유창하게 하는 콧수염할아버지라 해도 할머니의 본토 사투리를 이해하기엔 역부족이었다.

"쌍까풀이 휘까닥 뒤집어진 거 봉게로 그 속으로 뛰어들어 멱 감고 싶단 말이랑게."

스스로 말해 놓고 뭐가 우스운지 할머니 혼자서만 배꼽을 잡았다. 아마도 조금 야한 말이라고 생각했던 것 같았다.

"예? 죄송하지만 다시 한 번만……."

춘희할머니와 할머니의 나이 차이를 알지 못하는 콧수염할아버지는 거의 죽음을 앞둔 노할머니의 말을 알아듣지 못하는 대단한 실례를 저지른 것에 허둥댔다. 할머니는 할머니대로 칭찬으로 콧수염할아버지의 마음을 붙들려고 했던 의도가 통하지 않자 슬며시 짜증이 밀려왔다. 꼬리 아홉 달린 구미호 같은 춘희할머니 앞이라고 자신의 선심을 못 들은 척하는 게 아닌가 싶은 마음이 들자 말투가 까칠해졌다.

"귀에다 말뚝 박았는갑네. 아까봉게로 한국말 잘하등마, 내숭 떠는 거시요, 머시요?"

콧수염할아버지는 할 수 없이 옆에 앉은 춘희할머니에게 통역을 부탁했다. 춘희할머니는 콧수염할아버지의 귀에 빨간 립스틱을 바른 입술을 대고 우아한 목소리로 통역을 했다. 뭐라고 하는지 들리지 않을 정도로 소곤거렸지만 춘희할머니 입장에서는 한국어(사투리)를 한국어(표준말)로 통역하는 것이니 어려울 게 없었다. 그 모습은 무척 에로틱해서 할머니의 염장을 터뜨리게 만들었다.

"아니, 이 할마씨가 어서 술 팔다 몸 팔던 짓거리를 여그서도 한당가."

콧수염할아버지는 정확한 뜻은 모르지만 이슬람 국가에서는 금기시하는 뉘앙스의 말을 할머니가 들먹이니 불편한 표정을 지었다.

"그랑게 그 말이 무슨 뜻인고 하니……."

할머니가 히죽히죽 웃으며 애써 설명하려고 하는 것에 뭔가 불쾌감을 느낀 콧수염할아버지가 자리에서 일어섰다. 당연히 춘희할머니도 따라 일어났다.

"초대 감사합니다. 알라신이 함께하시기를."

콧수염할아버지는 정중히 인사를 갖췄다.

"머여? 알랑……, 알랑이라고? 시방 나한티 알랑방구라고 한 거시냐? 와따메 참말로."

언니는 할머니의 행태를 두고 국가적 수치라고 한마디로 정의했다. 그리고는 진절머리나, 진절머리나, 라고 중얼거렸다. 화목한 가정의 모범을 보여 주기는커녕 질투심에 눈이 먼 늙은 여자의 다툼에서 언니는 엄마와 그 여인을 연상했을지도 모른다.

눈썹을 밀다

그날 왜 내가 명숙이 집에 늦게 갔는지 기억나지 않는다. 내가 명숙이 집으로 내려간 것은 저녁을 먹은 뒤였으니까 춘희대폿집 앞에서 헤어지면서 조금 있다 내려갈게, 라고 말한 약속을 지키지 못한 건 사실이다. 그러나 몇 시라고 못 박아 시간 약속을 한 것도 아니고, 곧 내려간다는 약속을 지키지 못한 게 한두 번도 아니기 때문에 내가 늦게 내려갔다고 명숙이가 화를 내는 것을 타당하지 않았다. 더욱이 내 팔목에는 푸른 무늬의 타일과 작고 빨간 별과 노란 달의 장식용 타일이 잔뜩 들어 있는 봉지가 걸려 있었으므로 명숙이에게 자랑할 마음에 부풀어 있었다.

아빠가 웬일인지 며칠째 타일을 가져오지 않았다. 진짜 이슬람 사원은 거의 완성되어 가는데 우리 것은 절반도 채 완성을 못했다. 최후의 수단으로 나는 단식 투쟁을 하면서 타일 조각 몇 개 못 갖다 주냐고 시위를 했다. 그랬더니 아빠가 바지 주머니 양쪽과 작업복 조끼에 처음 본 예쁜 타일들을 잔뜩 가지고 온 것이다. "우리 시통이 이제 기분 좋아?" 내가 아빠 팔에 매달려 고맙습니다, 라고 인사를 하자 아빠가 내 머리를 쓰다듬으며 말했다. 그렇게 힘들여서 예쁘고 귀한 타일을 얻은 건 통고양이구이 사건 이후 아빠의 애정을 테스트하는 의도와 함께 내심 명숙이를 기쁘게 하려는 마음이 있었기 때문이었다.

대폿집에는 이미 꽤 많은 손님들이 둥그런 불판에 둘러앉아 막걸리 주전자를 기울이고 있었다. 뜨거운 연탄 불 위에서 맵고 벌건 곱창이 지글지글 끓기 시작했다. 싸구려 담배 냄새와 왁자지껄한 취객들의 웃음소리와 간드러진 춘희할머니의 흘러간 유행가의 젓가락 장단이 퍼덕이는 나방의 날갯짓 같은 생동감으로 가득 차 있었다.

"명숙아, 나 왔어." 나는 될 수 있으면 술에 얼큰히 취해 있는 춘희할머니 눈에 띄지 않으려고 벽에 바짝 붙어 조용히 쪽문을 열었다. 방에는 불이 꺼져 있었지만 다듬이 방망이를 치켜든 명숙이의 형체는 또렷이 보였다. 명숙이 발아래에는 눈물 모양 지붕 모형이 놓여 있었다. 명숙이가 다듬이 방망이로 이슬람사원 모형을 깨부수려 하고 있었던 것이다.

"야! 너 미쳤어?"

나는 명숙이 손에 들린 다듬이 방망이를 뺏었다. 명숙이는 나한테 순순히 방망이를 내줬지만 나를 노려보는 눈빛이 더 큰 비명 같았다.

"왜 그래? 무슨 일이야?"

"왜 이렇게 늦었어? 금방 온다고 했잖아."

"좀 늦을 수도 있지."

"나 너한테 보여 주려고 화장하고 있었단 말야. 할머니가 화투 치고 오기 전에 지워야 하는데 니가 금세 온다고 해서 자꾸자꾸 기다리다가 그래도 안 오는데 그래도 곧 올 거 같아서 자꾸자꾸 기다리다가 할머니한테 들켜서 매 맞았어."

그리곤 서럽다는 듯이 울음을 터뜨렸다.

"화장했다고 매 맞았어?"

"응. 할머니는 내가 화장하는 거 진짜 싫어해."

나는 춘희할머니의 빨간 입술을 떠올렸다. 자신은 그렇게 요란하게 화장하면서 손녀에게는 화장하면 매까지 때리다니 이해할 수 없었다.

"미안해. 그렇지만 아빠가 이렇게 예쁜 타일을 많이 가져왔는데 이걸 깨부수면 어떡해."

나는 봉지에 들어 있는 타일들을 꺼냈다. 앙증맞고 귀여운 초승달과 별은 아무리 봐도 너무 정교하고 예뻐서 감탄이 나왔다.

"와, 정말 이쁘다."

방금 전에 어둠 속에서 다듬이 방망이로 눈물 모양의 지붕 모형을 때려 부수려고 했던 애가 맞나 싶을 만큼 금세 명랑해졌다. 눈가에는 아직 눈물이 채 가시지도 않았는데 이렇게 감정이 순식간에 변하는 명숙이가 신기하기도 하고 귀엽기도 했다.

우리는 아무 일 없었다는 듯이 서로 말없이 타일 쌓는 데 집중했다. 오랜만에 명숙이도 딴짓을 하지 않았고 내가 본드가 적당히 꾸덕해질 찰나를 찾는 동안 이상한 말들로 방해하지 않아서 꽤 그럴듯하게 마무리되어 가고 있었다.

창문을 동그랗게 할 것인지 네모나게 할 것인지 조금의 의견 차이가 있었지만 어차피 우리 실력으로 동그랗게 하는 건 무리여서 창문 자리를 네모나게 비워 두는 것으로 결정되면서는 계속 쌓아 나갔다. 눈물 모양 지붕만 빼고 어느 정도 형태가 갖춰졌다. 눈물 모양 지붕은 타일로 만들 수는 없고, 비슷한 형태의 물건을 찾아 붙여야 했는데 완벽한 눈물 모양의 형태를 찾지 못했다. 마지막으로 달과 별을 어디에 장식할 것이냐에서 명숙이와 의견이 모아졌다면 완벽했을 테지만 결국 거기서 틀어지고 말았다.

나는 언젠가 오빠와 함께 밤하늘에서 본대로 초승달 안에 별 하나가 들어 있는 형상으로 장식을 하자고 했고, 명숙이는 두 개를 하나씩 공평하게 나눠 오른쪽에는 달을, 왼쪽에는 별을 붙이자고 했다. 나는 명숙이가 그렇게 유치한 배열을 하자는 것에 놀라서, 초승달과 별이 함께 있는 게 얼마나 아름다운 건지, 이슬람이라는 종교에서 어떤 의미가 있는 건지 설명했지만 명숙이는 자기 배치가 오른쪽 왼쪽 균형이 잘 맞아서 안정감이 있다고, 내 배치는 한곳으로 쏠려서 뭔가 불안정하다고 말했다.

나는 너무 어이가 없어서 명숙이 말에 대꾸도 하지 않고 내가 원하는 배치대로 재빨리 타일본드를 발라서 붙여 버렸다. 명숙이는 이런 내 행동을 멍하니 보고 있더니 갑자기 울먹였다.

"넌 왜 항상 니 생각이 옳다고 생각하니? 왜 내가 옳을 수 있다고 생각하지 않는 거니?"

"넌 항상 깊게 생각하지도 않고 불쑥 말하잖아."

두 살이나 더 많이 먹은 애가, 라는 말은 삼켰다.

"내가 깊이 생각 안 했다고 누가 그래? 그것도 다 니 마음대로 생각한 거잖아."

마지막 말은 거의 울음에 잠겨 있었다. 거의 뭐든지 내 뜻대로 따르던 명숙이가 평소와 달리 강하게 반발해서 조금 반성하는 마음이 들려고 했지만 엄마가 학교에 불려 오고 빗자루로 죽도록 얻어맞은 것과 말썽꾸러기로 매일 선생님한테 혼나는 것을 명숙이가 알고 무시하는 것 같아서 이번 기회에 확실히 내 말에 따르도록 만들어 두는 게 좋을 것 같았다.

"너희 엄마 양갈보지? 그래서 너가 화장하는 것도, 핫걸언니들하고 얘기하는 것도 너희 엄마처럼 될까 봐 춘희할머니가 막 때리는 거지? 그리고 너희 아빠 깜둥이지? 그래서 너도 얼굴이 까만 거고, 미미가 깜둥이 튀기라서 너가 미미를 싫어하는 거지?"

명숙이는 이제까지 내가 한 번도 본 적 없는 표정으로 나를 쳐다보았다. 그건 아예 표정이 없는 거였다. 엄마가 명숙이 엄마에 대해서 말할 때도 나는 사실 그 말을 믿지 않았다. 명숙이가 우리보다 조금 더 까무잡잡하긴 해도 미미나 게이스트리트에서 보던 흑인들처럼 까맣지는 않았기 때문에 내가 한 말이 명숙에게 표정을 빼앗아 갈 만큼의 충격을 주리라고는 생각하지 못했다.

본드 칠을 하지 않았다면 달과 별을 떼어서 명숙이가 원했던 배치대로 오른쪽, 왼쪽에 붙여 주고 싶었다. 다시 명랑한 명숙이로 돌아오게 만들 수 있다면 무슨 짓이라도 할 거 같았다. 그러나 명숙이는 내가 명숙이의 마음을 되돌리기 위해, 명숙이의 얼굴에 표정을 돌려놓을 틈도 주지 않고 옆에 놓여 있던 면도칼로 자신의 눈썹을 싹 밀어 버렸다. 그건 너무 순식간에 일어난 일이어서 내가 말리고 할 여유도 없었다.

사람들이 생각하는 것을 다 실행에 옮기지는 못한다. 그런데 명숙이는 생각과 말과 행동이 동시에 폭발한다. 그게 부럽기도 하고 무섭기도 했다. 이제까지 명숙이가 져 준 건 나를 좋아해서 양보한 거지, 생각이 없어서 진 것은 아니었다. 나는 명숙이가 갑자기 무서워졌지만 그런 표시를 내지 않고 내가 얼마나 화가 났는지 보여 주기 위해 벌떡 일어나서 발을 일부러 쿵쿵 구르며 고압선집으로 올라왔다.

세수를 하고 잠자리에 누웠지만 잠이 오지 않았다. 지금이라도 내려가서 명숙이게 미안하다고 사과를 할까? 그렇지만 명숙이를 잃고 싶지 않은 만큼, 명숙이를 좋아하는 만큼, 명숙이에게 먼저 사과할 수는 없었다. 이유는 나도 모른다. 그냥 내가 명숙이를 더 좋아하기 때문에 먼저 사과할 수 없었다. 아, 모르겠다. 일단 사자. 자고 일어나서 그때 마음에 따르기로 하자. 나는 눈을 감았다. 얼른 아침이 오기를 기다렸다.

비겁의 피

엄마가 해가 떨어지기도 전에 장사를 마치고 집에 왔다.

"세상이 어찌 돌아가려구 그러는지."

엄마가 깊은 한숨을 쉬며 말했다.

"뭔 일 있다냐?"

엄마가 이렇게 일찍 들어온 적은 거의 없어서 할머니도 놀라 방에서 뛰어나오며 물었다.

"허씨 큰아들 있잖아요. 그 아들이 오늘 경찰서에 잡혀갔대요."

"그 아들래미 서울대 다닌담서, 근디 무슨 잘못을 했간디 잡히갔을까?"

"글쎄 데모하다가 그랬대요."

"없을 때는 나랏님 숭도 보는 법인디, 데모 쪼까 했다고 잡아가야?"

"데모 주동자였대요. 남들이 다 부러워하는 서울대 갔으면 열심히 공부나 할 것이지, 뭐 잘났다고 나서서 부모들 애간장을 녹이나 몰라."

엄마 옆에 서 있던 오빠는 얌전한 공무원이 된 것으로 효도를 다한 양 당당한 표정이었다.

"근디 허씨 아들 잡아간 것하고 무슨 상관있어서 너는 장사도 일찍 파하고 들어왔냐?"

"아, 모르시면 잠자코 계세요."

"그려. 늙은이가 할 일이 있간디, 그저 주는 밥이나 처묵고 죽은 듯이 자빠져 있어야재."

할머니가 신발을 집어 던지듯이 벗고 방으로 들어갔다. 엄마는 할머니가 들어가는 것을 확인하자마자 오빠 곁으로 다가갔다.

"큰애야, 내가 혹시나 해서 그러는데, 이 엄마가 허씨 아저씨 가게 앞에서 장사를 하지 않냐. 혹시 나한테도 조사 나올까 봐 일찍 들어왔다. 너는 나라 녹을 먹고 사는 사람이니, 하여튼 간에 입조심 몸조심해야 한다. 네가 우리 집 장손인데 너 잘못되면 이 엄마도 콱 죽어 버릴 거니까."

엄마는 전쟁 통에 아들을 뒤주에 숨긴 할머니의 며느리답게 공무원인 아들에게 불이익이 떨어질까 봐 장사까지 일찍 접고 들어왔다. 나 또한 이스라엘 국민들처럼 목숨 걸고 전쟁에 참여하기보다는 육촌오빠처럼 목발을 짚고 절룩거리는 상이용사를 더 부끄러워하는 딸이다.

우리 집안의 피는 속일 수 없다. 나는 오빠가 데모에 참여하지 않을 것을 장담할 수 있다. 우리 식구들은 세상이 얼마나 무서운지 이미 어려서부터 체득하고 있었다. 한순간에 휩쓸고 가서 막막한 어딘가로 데려다 놓는 세상과 한편인 삶의 폭력을 알고 있었다. 그 삶의 비위를 거스르지 않기 위해 최대한 몸을 낮추고 무릎을 꿇으라면 꿇고, 빌라면 빌었다. 우리 식구에게 중요한 건 눈비를 피해 잘 수 있는 집과 굶지 않는 밥줄과 소소한 감정과 그 감정의 끈에서 흐느적거리는 욕망이었다.

퇴근한 언니한테 허씨 아저씨 이야기를 했더니 "나라꼴이 어찌 돌아가는 건지. 월급이나 오르면 오죽 좋아?"라고 투덜거렸다. 브래지어에서 커다란 솜뭉치를 빼내자 볼록하게 가슴선이 살았던 하얀 원피스 앞섶이 납작해졌다. 나는 순간 그 여자가 이 원피스를 입는다면 가짜 뽕을 넣지 않아도 얼마나 예쁠까, 라고 생각하고 있는데 언니가 내 머리통에 꿀밤을 매겼다.

"쪼그만 게 뭘 뚫어져라 보는 거야? 엉큼하게."

• • •

나는 오줌이 마렵지도 않은데 명숙이 동태를 살피기 위해 변소를 핑계로 내려갔다. 아직 명숙이와 화해하지 못했다. 명숙이와 싸운 다음 날 아침에 아무 일도 없었던 것처럼 "명숙아, 학교 가자!"라고 소리쳤는데 "명숙이 학교 갔는데."라는 춘희할머니 목소리가 들렸다. 그 뒤로 학교에서 명숙이와 마주치려고 몇 번 시도했는데 그럴 때마다 명숙이는 혜진이랑 꼭 붙어 다녔다. 화장실 갈 때도 나 보란 듯이 둘이서 팔짱을 끼고 갔다.

다행이 변소에는 사람이 들어 있어서 바로 춘희대폿집으로 내려갔다. 할머니도 진즉에 내려와 춘희대폿집에 고개를 들이밀고 동태를 살피고 있었다. 그럼 그렇지. 할머니는 지난번 콧수염할아버지의 초대가 실패한 후 더욱 두 사람에게 신경을 곤두세웠다. 변소에 내려가는 횟수도 늘어났다.

나도 할머니를 따라서 미어캣처럼 대폿집 안을 기웃거렸는데 명숙이는 안 보이고 홀 안쪽 구석에 춘희할머니와 콧수염할아버지가 뭔가 이야기를 나누고 있었다. 맛있는 양꼬치구이가 불판 위에서 타서 연기가 풀풀 나는데도 두 사람은 깨닫지 못하는 듯이 표정이 점점 심각해졌다. 혹시 콧수염할아버지가 프러포즈를 하는 것일까? 나와 할머니는 거의 몸과 귀를 대폿집 안쪽으로 들이밀고 무슨 이야기를 나누는지 들으려고 했으나 소곤거려서 들을 수가 없었다.

더 이상 버티지 못한 곱창에 불이 붙자, 콧수염할아버지가 연기를 손으로 저었고, 그제야 춘희할머니가 일어나 새로운 곱창판으로 갈려고 곱창판에 꼬챙이를 꿰어 들고 일어섰다. 그때 마침 변소를 가려고 내려온 엄마가 변소에 사람이 있자 계단을 내려오는 게 보였다.

"엄마!"

나는 일부러 큰소리로 엄마를 불렀다. 엄마가 반가워서가 아니라 할머니에게 엄마가 내려왔다는 경고를 주기 위해서였다. 할머니가 춘희대폿집을 기웃거리는 걸 보면 그렇지 않아도 심란한 엄마가 어떻게 돌변할지 몰랐다. 오랜만에 춘희대폿집 앞에서 삼대가 모였는데 추한 꼴을 연출하는 장면은 막아야 했다. 그러나 내가 엄마를 외치는 소리를 듣고 춘희할머니가 급하게 밖으로 나왔다.

"허씨 아들 잡혀갔다면서? 어떻게 됐어?"

"저도 일찍 떨이하고 들어와서 그 뒤로는 들은 얘기가 없네요."

"닭가게는?"

"지금 장사할 경황이나 있겠어요? 가게 문 닫고 두 내외분 모두 경찰서에 가셨어요."

"아이구, 어쩐대. 거기 외아들이잖아."

"그렇죠."

춘희할머니와 엄마의 진지한 대화 사이에 끼어들 틈을 엿보던 할머니가 그렇죠, 라는 엄마의 말에 긴 한숨을 내뱉는 춘희할머니를 향해 단호하게 외쳤다.

"예로부터 붉은 머리를 쓰면 3대가 망하는 거여. 허씬지 지랄인지 그 집안도 장남이 붉은 머리를 썼으니 볼장 다 봐부렀구마잉."

할머니는 허씨 때문에 엄마의 분풀이를 샀던 조금 전의 일과, 돌이킬 수 없는 콧수염할아버지와의 로맨스, 그리고 춘희대폿집 손님이 변소에서 나오지 않아 터질 거 같은 방광까지 합쳐져 분통을 터뜨렸다. 그때 느닷없이 춘희할머니의 빨간 입술이 일그러지면서 괴성을 뿜었다.

"남의 집 일이라고 쉽게 말하는 거 아닙니다. 벌 받습니다."

"넘의 집일이고, 내 집일이고 간에 나는 틀린 말 한 거 없는디. 내 입은 진실이 아니면 담질 않으니께. 자고로 옛 성현의 말씀에 누울 자리를 보고 다리를 뻗으랬다고, 지금이 어느 땐데 빨갱이가 데모를……, 어무이!"

할머니 말이 끝나기도 전에 춘희할머니는 들고 있던 곱창판을 땅바닥에 내동댕이쳤고 할머니는 돌아가신 어머니를 찾으며 비명을 질렀다. 잘 타지 않는 두꺼운 무쇠로 만들어진 곱창판은 땅바닥에 부딪히면서 어둠을 쨍하고 갈랐다. 까맣게 탄 양꼬치구이 몇 조각도 땅바닥에 쏟아졌다. 물장사라는 비아냥거림에도 교양과 품위를 잃지 않던 춘희할머니의 분노에 할머니는 놀라서 간신히 참고 있던 오줌을 지렸는지 급하게 다리를 꼬았다.

"드뎌 미쳐 부렀는갑마, 넘의 일에 피를 토하는 걸 본게."

느닷없이 시멘트 바닥에 헤딩을 한 곱창판이 땅바닥에서 덜덜거리며 여진을 다스리고 있을 때 춘희할머니가 사라진 입간판에 대고 할머니가 소리쳤다. 할머니의 붉은 머리라는 말에 교양 있는 춘희할머니가 왜 곱창판을 내던지며 흥분했는지, 내가 예전에 붉은 머리가 무엇이냐고 물었을 때 춘희할머니가 왜 대답을 못하고 눈시울이 붉어졌는지 나중에 엄마의 이야기를 듣고 이해가 되었다.

춘희할머니의 남편, 그러니까 명숙이 외할아버지는 서울 명문가의 자제였다. 춘희할머니의 큰아들은 동경 유학을 다녀올 정도로 신지식인이었지만 귀국해서는 좌익사상에 빠져들었다. 한국 전쟁이 일어나자 큰아들은 모든 재산을 북에 헌납하고 월북해 버렸다. 남쪽에 남은 춘희할머니 가족은 월북한 큰아들로 인해 고초를 당하다가 남편마저 돌아가시고, 하나 남은 딸을 데리고 아무 연고도 없는 이곳 이태원 달동네에 자리를 잡은 것이다. 종가집에서 익힌 솜씨 좋은 요리 실력으로 서민들이 싼값에 먹을 수 있는 곱창집을 열었고, 장사가 좀 번성한다 싶자 양색시들을 따르던 딸이 정말 그 언니들을 따라서 가출해 버렸다.

붉은 머리를 썼던 큰아들의 월북으로 대궐 같던 집이며, 수하에 거느리던 종들이 한낱 꿈인 듯 사라지고 딸이 떨어뜨린 손녀 하나 데리고 달동네에서 곱창집을 하는 춘희할머니로서는 허씨 아저씨의 일이 남일 같지 않았을 것이다.

엄마 이야기를 듣고 있던 할머니는 "왕년에 대궐 같은 집에서, 종 안 부리고 산 사람 어디 있간디?"라는 말로 일축했다.

철사줄로 두 손 꽁꽁 묶인 채로 뒤돌아보고 또 돌아봐도 맨발로 절며절며 끌려가신 이 고개에여 한 마아아안은.....

그날 밤 늦도록 춘희할머니의 노랫소리가 울렸다. 월북한 아들이 보고 싶어서였을까. 양색시가 되어 어딘가로 떠나 버린 딸이 보고 싶어서였을까. 다른 때보다 더 구슬프게 들렸다.

아빠, 도둑으로 몰리다

그해 가을이 시작될 무렵, 우리 집은 분명 어딘가로 흘러가고 있었다. 막바지 무더위 속을 훑고 지나가는 한 줄기 시원한 바람에 고압선이 지잉, 울리면 가을이 오는 건가, 라고 주위를 둘러보았지만 노란 기색 한 점 없이 푸른 잎의 은행나무가 나를 놀리듯이 내려다보고 서 있었다. 그러나 아침에 세수하려고 수돗가로 나가면 어느새, 어디서 떨어진 건지 모르는 곱게 물든 단풍잎들이 구석에 뒹굴고 있었고, 세숫물의 서늘함에 어깨가 저절로 움츠러들었다.

그렇게 소리 없이 가을이 고압선집에 바짝 다가서듯이 불행의 기운이 아무도 모르는 사이 서서히 스며들고 있었다. 아빠가 절도 혐의로 감옥에 갈 처지에 놓이게 되어 우리 집이 발칵 뒤집히게 된 것이다. 아빠가 타일을 비롯해서 이슬람사원의 실내를 장식하는 소품들을 훔친 게 발각돼서 현장소장이 경찰에 신고하겠다고 으름장을 놓은 것이다.

"이따위 돌조각 몇 개 훔쳤다고 깜빵 가면 대한민국 전체를 깜빵으로 지어도 모자랄 것이구만."

현장소장은 자신의 권위를 보여 준 뒤 아량을 베풀어 인부들을 통솔하려고 했는데 아빠가 사죄는커녕 심기를 건드리자 본때를 보이겠다고 상벌위원회에 넘겼다.

“무릎 꿇고 빌어도 시원치 않을 판에 도둑질해 놓고 큰소리를 치다니, 에효, 기가 막혀서. 나이를 어디로 먹었는지.”

엄마는 그런 호통 칠 힘으로 남들보다 모래짐 하나 더 지었으면 식구들 끼니 걱정 안 해도 됐을 텐데, 라며 속상해했지만 나는 오랜만에 아빠의 남자다운 모습이 멋져 보였다. 달동네로 이사 온 이후 아빠는 당당한 모습이 아니라 어떤 일이 일어나도 담배만 뻑뻑 피우며 남의 일인 양 바라만 봤다.

나중에 알고 보니 아빠가 현장소장에게 호통을 친 건 단순히 남자다운 모습을 보이기 위해서가 아니라 딸에게 도둑질했다는 것을 인정하고 싶지 않아서였다. 아빠는 다른 사람도 아닌, 막내딸에게 타일을 주기 위해 훔친 거였다. 아빠가 무릎 꿇고 잘못을 빈다면 딸에게 도둑질했다는 것을 인정하는 것이 되어 그럴 수 없었던 것이다.

아빠가 호기심으로 타일을 몇 개 집어 왔을 때 내가 시큰둥해했다면 이런 일은 일어나지 않았을 것이다. 이 모든 게 떼를 쓴 내 탓이다. 나중에는 타일본드와 사원 내부를 장식하는 비싼 별과 달, 빨간 끈과 보석처럼 무지갯빛을 발하는 구슬들도 빼내 오게 되었다. 명숙이에게 잘 보이고 싶어서 그런 건데 명숙이와는 싸운 뒤 아직 화해를 안 했고, 아빠는 전과자가 될 처지에 놓였다. 나는 가슴 졸이는 시간을 보냈다.

엄마는 이런 비상사태에 대비해서 콧수염할아버지를 초대해 점심 식사를 대접한 것이지만, 콧수염할아버지는 우리를 도와줄 형편이 못되었다. 콧수염 할아버지도 본국으로 쫓겨날 처지에 놓인 것이다. 이스라엘과 이슬람국가가 싸웠는데 미국이 이스라엘과 한편이고, 우리가 미국과 한 편이라서 한국에 머물고 있는 중동 사람들 중 일부에게 출국조치가 내려졌다.

사실 공사는 거의 다 마무리된 상태라서 그들이 꼭 한국에 있어야하는 상황은 아니었다. 붉은 머리 때문에 할머니와 춘희할머니가 싸웠던 그날 콧수염할아버지가 춘희할머니에게 프러포즈를 하려고 했던 게 아니라 출국을 앞두고 이런 상황들을 이야기하느라 표정이 심각했던 것이다.

오빠는 이 소식을 듣고 흥분해서 이슬람 사람들을 다 쫓아내야 한다고 소리쳤다. 엄마가 생선 장사하는 것도 여자 친구에게 당당하게 말하지 못해 고민하는 비겁한 오빠가 이런 일에 화를 내고 정의에 불타는 것을 보니 좀 어리둥절했다. 내가 콧수염할아버지는 그런 사람이 아니고 좋은 분이라고 하자 오빠는 더욱 흥분했다.

"그 사람들이 코란이라고 떠드는 것은 다 사기야. 수많은 사람들을 죽이고 전쟁을 하면서도 성전이라고 정당화시키는 게 바로 코란이야. 우리나라 국민들처럼 사대주의에 물들어 외국인이라면 껌뻑 죽는 사람들이나, 특히 너같이 아무것도 모르는 애들을 현혹하는 그 자체로 나쁜 거야."

엄마는 아빠의 죄를 면죄받기 위해 여기저기 알아보다가 어디서 정보를 입수했는지 아빠가 이슬람교를 믿으면 절도죄를 면할 뿐만 아니라 중동으로 취직돼서 해외 근무도 나갈 수 있다며 아빠를 설득했다. 할머니는, 선조 대대로 부처님을 믿어 왔지만 거시기 사원이 불교처럼 무릎 꿇고 절하는 법도가 비슷한 걸로 봐서 부처님과 거시기 사원은 통한다면서 아들의 무죄를 위해서라면 부처님을 믿든, 거시기 신을 믿든 상관없다고, 절에 가서 죄송하다고 백일치성을 드리면 마음씨 넓은 부처님은 용서해 주실 것이라고 허락했다.

이태원이라는 동네는 교회, 성당, 절, 굿을 하는 신당 그리고 이슬람사원까지 없는 종교가 없다. 성모마리아상이 손바닥을 내밀고 있는 용산구에서 제일 큰 성당이 있고, 게이스트리트가 있는 태평극장 입구에는 교회가 두 개나 있다. 달동네 꼭대기에는 굿을 해주는 작은 암자가 있고 이태원 시장 위에는 한국 최초의 이슬람사원을 짓고 있다. 모든 종교가 다 모여 있는 데도 이 동네는 갈수록 추잡해졌다.

"신들도 인간하고 똑같아. 지네끼리 서로 잘났다고 싸우는 거야. 더 많은 사람들을 자기편으로 끌어들이려고 해서 이 동네가 시끄러운 거야."

춘희할머니 말대로 신들은 모두 똑같다. 친구도 한 사람만 죽을 때까지 사귀라는 법은 없다. 끌리는 대로 하면 그만이다. 믿고 싶은 신을 믿으면 그만이다. 이슬람교를 믿는다면 아빠가 직장을 그만두지 않아도 되고, 중동으로 취직이 돼서 달러를 왕창 벌어올 수도 있다. 그럼 이 냄새나는 달동네를 벗어날 수도 있다. 그러나 회교도가 되라는 엄마의 제안을 아빠는 "시끄러!"라는 딱 한마디로 거절했다.

춤추는 코끼리

콧수염할아버지가 본국으로 떠나는 날, 나는 202호로 내려갔다. 워낙에 살림살이가 많지 않았지만 다 정리해서 썰렁했다. 나는 뭐라고 인사를 해야 할지 몰라 쑥스러워 몸을 배배 꼬고 있었는데 콧수염할아버지가 작은 상자를 내밀었다.

"영미, 그동안 고마웠어. 이건 내 선물이야. 우리 딸 것인데, 영미한테 행운을 가져다줄 거야."

상자에는 작은 목걸이가 들어 있었다. 콧수염할아버지의 딸이라면 폭격을 맞아 하늘나라로 갔다는 그 딸일 것이다. 목걸이에는 손톱만 한 코끼리 조각상이 달려 있었다. 나는 선물이라는 것을 받아 본 건 태어나서 처음이었다. 엄마가 언니 오빠 생일은 미역국도 끓여 주고 챙겨 주면서 내 생일은 아빠보다 일주일 빠르다고, 아빠보다 빠른 딸 생일을 세면 아빠 생명이 단축된다는 이상한 미신을 받들어 이제까지 내 생일을 세 준 적이 없었다. 그래서 고맙다는 말을 하려는데 너무 고마워서 아무 말도 나오지 않았다. 나는 목걸이에 달린 코끼리 조각을 만지작거리기만 했다.

"코끼리가 너무 귀여워요."

"할아버지가 할아버지의 아빠한테 아주 어렸을 때 들었던 코끼리

이야기가 있는데 우리 영미한테 들려줄까?"

"네."

호기심 많은 아기코끼리가 여행을 떠났지. 한참 여행을 가다가 비단 장사를 만났단다.

"아저씨, 이게 뭐예요?"

빨간 천에 푸른 새들이 프린트된 게 너무 신기해서 아기코끼리가 물었단다.

"그건 비단이라는 거야."

"아, 그렇군요. 저는 지금 여행 중인데요. 기념으로 조금만 잘라 주시면 안돼요?"

비단장수는 빨간 비단 한 조각을 잘라 주었지. 아기코끼리는 너무 기뻐서 엉덩이를 실룩실룩 흔들며 춤을 추었어. 아기코끼리는 빨간 비단조각을 가방에 담고 다시 길을 떠났지. 한참을 가다가 이번에는 양탄자를 만들어 파는 상인을 만났어. 그 상인에게는 꽃이 수놓아진 양탄자 한 조각을 얻었지. 아기코끼리는 또 기뻐서 엉덩이춤을 추었지. 다시 여행을 가다가 사막 한가운데 신비한 오아시스에서 물을 긷는 사람을 만났어. 아기코끼리는 마침 목이 말라 물을 얻어먹고 기념으로 신비한 오아시스 물을 얻은 뒤 또 기쁨의 춤을 추었어.

아기코끼리는 오랫동안 여행을 하면서 수많은 사람들에게 그들의 중요한 일부분을 얻어서 가방은 불룩해지고 세상을 다 얻은 것처럼 든든했지. 이것들이 행복을 가져다줄 것이라고 믿어서 고이

고이 간직했단다. 그러나 10년이 흐르고 20년이 흘러도 그것들이 코끼리에게 무엇을 가져다주지 않았어. 세상은 여전히 살기 힘들었지만 코끼리는 실망하지 않았어. 아직 많은 시간들이 남아 있었어. 50년이 흐르고 60년이 흘러 코끼리는 한 발짝 걸을 힘도 없었어. 코끼리는 자신이 곧 죽을 것이라는 사실을 알았지. 코끼리는 마지막으로 여행 중에 받았던 선물들을 펼쳐 보았어. 자신이 보물처럼 간직했던 물건들은 코끼리 자신처럼 늙고 쓸모없는 것으로 변해 있었어. 비단은 구멍이 나고 색이 바랬고 양탄자는 벌레가 먹어 먼지처럼 바스라졌고, 오아시스 물은 썩어 있었어.

코끼리는 비로소 깨달았어. 눈에 보이는 이 선물들은 사실 아무것도 아니었다는 것을. 코끼리는 이것들을 검은 재가 될 때까지 하나도 남김없이 태워 버렸어. 연기가 피어오르는 것을 보면서 코끼리는 여행하면서 만났던 사람들과의 추억을 떠올렸어. 코끼리는 자신이 지난 세월 힘든 일들을 이겨 내고 살 수 있었던 것은 물건이 아니라 사람들과의 수많은 추억의 조각 때문이었다는 것을 깨달았어. 그건 희망보다는 덜 위대하지만 삶을 지탱하게 해 주는 잔잔한 힘이었음을 깨달은 거지.

"어때? 재미있니?"

내가 비록 공부는 잘 못해도 소설책을 많이 읽어서 이야기를 잘 이해하는 편이다. 나는 고개를 끄덕였다.

"나도 한국에서 좋은 사람들, 고마운 사람들을 많이 만났어. 우리나라로 돌아가서도 한국 사람들을 잊지 못할 거야. 영미네 식구와 명숙이 할머니와의 기억은 특히 잊지 못할 거야."

"우리나라에서 계속 사시면 안 돼요? 오빠가 그러는데 이슬람 종교는 싸움을 좋아하는 종교래요. 한국에서 교회에 다니면서 살아요."

"나쁜 종교란 없는 거야. 종교는 그냥 존재할 뿐이야. 종교를 나쁘게 만드는 건 인간들의 탐욕 때문이지. 그래서 점점 이상하게 변하는 거야. 세상에 종교가 딱 하나뿐이라고 해도 싸움이나 전쟁이 없어지는 건 아니야. 명숙이와 싸웠다는 얘기는 들었다."

나는 너무 창피했다. 명숙이가 다 일러바친 모양이었다. 아니면 춘희할머니가 말한 것일까.

"곧 화해할 거예요."

"그래. 우리 영미는 똑똑하니까 명숙이한테 먼저 화해의 손을 내밀 거지?"

"네."

콧수염할아버지가 먼 골목길을 달려온 먼빛처럼 눈을 지그시 감았다. 나도 눈을 감았다. 아기코끼리가 뒤뚱거리며 사막을 가로질러 먼 여행을 떠났다가 비단 한 조각, 양탄자 한 땀을 얻고서 신나게 엉덩이를 실룩거리며 춤추는 장면이 상상되었다. 아기코끼리가 어디선가 들려오는 듯한 북소리에 맞추어 신나게 춤을 추는 것 같았다.

그리움이 쌓이면

새벽에 두런두런 하는 말소리에 잠에서 깼다. 꺼멓게 먹통 든 형광등 아래 아버지와 엄마와 할머니가 세모꼴로 마주 보고 앉아 있었다. 아빠는 양반다리를 하고 앉은 허벅지에 팔꿈치를 괴고 손으로는 이마를 짚고 있어서 성냥개비처럼 곧 쓰러질 것 같았다.

“애비, 너는 가야재?”

할머니가 아빠 얼굴을 들여다보며 물었다. 자다가 일어났는지 머리를 풀어헤친 할머니는 기괴해 보였다. 아빠는 한참을 고개를 숙이고 있다가 엄마를 슬쩍 보고는 아직 절도 문제가 해결되지 않아서 일이 어떻게 되어 가는지 서울에서 지켜봐야 할 거 같다고 말했다. 그러자 할머니가 느닷없이 막내를 데려가면 쓰겄는디, 라고 중얼거렸다. 나는 어디를 간다는 건지는 모르겠지만 이 심각한 분위기의 여행에 동참하고 싶지 않았다. 그러나 이마에 손을 올리고 누워 있는 언니도 자는 척하는 게 역력해 보이는데 내가 일어나서 가고 싶지 않다고 말할 상황은 아니어서 나도 언니처럼 이마에 손을 올리고 계속 자는 척했다.

학교는 어떻게 하냐고, 다행히 엄마가 발끈하고 나섰다. “학교라고는 취미도 없는 애를, 한 달도 아니고 며칠이믄 되는디 뭔 일 난다냐?" 할머니가 항변을 해 보지만 이미 나는 안 가는 걸로 결정이 나는 분위기였다. 그 여자는 보이지 않았다. 여자의 이부자리는 이미 말끔히 개어 있고 부엌에서 아침 준비를 하는지 덜그럭거리는 소리가 간간히 들리는 걸로 봐서 새벽 4시는 넘긴 모양이었다.

나는 이 장면을 자주 떠올렸다. 자기 엄마가 죽었는데도 여자는 아무 일도 없는 듯, 울지도 않고 새벽밥을 짓느라 부엌에서 딸그락거리고 있고, 어른 셋이 모여서 누가 시골, 여자의 엄마가 저승길을 가는 데 참석할 것인지 의논하고 있는 장면. 한때는 그 여인의 남편이었던 아빠가 못 간다고 하자 본가를 대표해서 누구라도 데려가서 명분을 세우고 싶어서 엉뚱하게 열한 살의 나를 지목하는 할머니.

할머니는 마치 고향에 나들이라도 가는 양 들떠서 부산하게 짐을 쌌다. 며칠 전 작은엄마가 사 온 입에 넣기만 해도 살살 녹는 샤브레 과자와 허연 생강가루와 설탕이 범벅된 센베이, 혀끝에서 목구멍 깊숙이까지 싸하게 만드는 박하사탕을 보따리에 쌌다. 그리고는 동백기름을 매끈하게 발라 넘기고 한복을 차려입었다.

여자는 시멘트턱에 앉아 이슬람사원인지, 이태원시장인지, 남산타워인지 어딘지 알 수 없는 먼 데를 바라보고 있을 뿐 미동도 하지 않았다. 가방을 싸지도, 옷을 갈아입지도 않았다. 할머니가 보따리 두 개와 가방 두 개를 낑낑 대고 방에서 끌고 나오다가 문득 여자를 발견했다.

"서울역 기차 시간 늦겄구만, 준비도 안 하고 거그서 넋 빼놓고 앉아 뭐 하는 거시냐, 시방? 니 에미 죽었다는디 안 가 볼 거시냐?"

할머니의 호통에 비로소 여자는 자신이 앉아 있는 곳을 자각한 듯 부스스 일어나더니 예, 라고 말하고는 방에 들어가서 우리 집에 올 때 들고 왔던 그 검정 가방 하나만을 달랑 들고 나왔다. 다섯 개의 도시락과 일곱 식구들의 아침 준비를 하느라 온통 땀으로 범벅된 얼굴과 헝클어진 머리와 김칫국물로 얼룩진 낡은 티셔츠 차림 그대로였다. 할머니는 여자의 그런 모습을 훑어보곤 와따매 참말로, 와따매 참말로, 라고 푸념을 하고는 여자의 등을 떠밀어 다시 방으로 밀어 넣었다. 여자가 좀 더 깔끔한 옷으로 갈아입고 나오자 할머니는 그제야 여자를 앞세우고 완행열차를 타러 서둘러 서울역으로 떠났다.

• • •

사흘 후 여자가 붉은 눈으로 돌아온다. 얻어맞은 것처럼 퉁퉁 부어서 진한 쌍꺼풀이 흔적도 없이 사라졌다. 그렇게 돌아왔지만 여자는 울지 않는다. 할머니는 시골에 갈 때보다 몇 배나 많은 선물을 받아 와서 그걸 풀어헤쳐 자랑하느라 정신이 없다.

한 달 가까이 고압선집에 퀴퀴한 비린내를 가시지 않게 만든 바짝 말린 갈치포, 노란 씨알이 빼곡히 박힌 잘 여문 찰옥수수, 꼬투리 속에 붉거나 하얗거나 몇 가지 색깔이 뒤섞인 강낭콩……, 며느리 문상을 다녀온 사람답지 않게 흥이 나서 마당을 분주히 오간다.

여자는 퉁퉁 부운 눈으로 할머니를 도와 강낭콩을 장독 위에 펼쳐서 말리고, 갈치포를 부엌 처마 끝에 매달고, 완도에서 사 왔다는 짙푸르고 윤기 흐르는 미역과 김을 습기 차지 않도록 비닐에 넣어 검정 고무줄 끈으로 묶는다.

여자는 우는 대신 매일 밤 붉은 눈으로 편지를 쓴다. '어머니 전 상서'라고 썼던 자리에 '훌륭하신 육군아저씨'라고 쓴다. 그 여자의 답장을 받은 군인아저씨로부터 또 답장이 온다. 이제 내 이름으로 보내는 것이 아니라 그 여자 이름으로 보내고 학교로 답장이 오는 게 아니라 집으로 답장이 온다.

검정고시 문제지는 검정 가방 바닥에 처박혀 다시는 여자의 손에 끌려나오지 않는다. 매일 밤 모든 일이 끝난 깜깜한 부엌에서 뒷물을 하고 방에 들어와 로션을 바르고 배를 깔고 엎드려 위문편지를 쓴다. 식모와 다를 바 없는 구차한 자신의 하루 일과를 윤색하고 가장해서 한 집안의 당당한 맏딸로서 스무 살이 넘은 숙녀라면 의례히 하기 마련인 결혼에 대비한 가사일을 배우고 있다고 쓴다. 피로하고 덧없이 반복되는 집안일이 끝난 후 잠에 곯아떨어지기까지 그리움으로 채워진 편지로 마침표를 찍는다. 군인은 고된 훈련 속에서 그 여자의 서툴지만 고집스럽게 수식된 문장들 속에서 이상적인 여자의 이미지로, 정글짐 속에서 아련하게 피어올랐던 아지랑이처럼 그 여자에 대한 그리움이 피어오른다.

그리움이 가진 힘은 얼마나 큰 것일까. 그리움이라는 무력한 감정이 어떻게 구체성을 가진 행동으로 나타나는지, 그리고 그러한

단계가 사람들을 어떻게 파멸시키는지 나는 이해할 수 없었다.

최초의 위문편지 답장이 온 이후 그 여자와 군인아저씨가 편지를 주고받는 사이로 발전한 것은 알고 있었지만 서로 그리워하는 사이가 되리라고는 예상하지 못했다. 사람들은 그 여자를 두세 번 보면 대부분 호감을 가졌다. 여자의 얼굴은 언제 어느 때 쳐다봐도 미소를 머금고 있었다. 평소에는 인상 쓰고 있다가 다른 사람과 눈이 마주치면 억지로 미소 짓는 것과는 달라서 오로지 나를 향해 열려 있다는 터무니없는 충만감을 불러일으켰다. 이런 호의는 태생적으로 더티의 관계인 우리 식구들을 제외한 다른 사람들에게는 절대적이어서 이사 온 지 얼마 되지 않아 주변에서 여자를 칭찬하는 일은 흔한 일이 되었다. 항상 고개를 빳빳이 치켜들고 동네 사람을 만나도 인사하는 법이 없는 언니의 평판과는 정반대였다. 언니는 도도한 여자로 보이길 원해 그런 태도를 고수했지만 '성깔 더러운 애'로 낙인찍혔다.

특히 엘리자베스 테일러를 닮았다는 여자의 크고 맑은 눈을 본 사람들은 어쩜 하는 짓과 생긴 것 모두 이렇게 예쁘냐고 칭찬이 마르지 않았다. 내가 볼 때는 웃을 때 살짝 드러나는 덧니와 보조개가 매력적이었다. 순진한 듯하면서도 꼭 안아 주고 싶은 마음이 드는 덧니 웃음을 보고 있으면 내 뻐드렁니는 몽땅 뽑아 버리고 싶을 정도였다.

달동네 사람들은 그 여자가 웃으며 인사를 할 때면 지나간 뒤에도 다시 한 번 뒤돌아보았다. 동네 사람들이야 그 여자의 얼굴을 오가며 봤으니까 그럴 수 있지만 군인아저씨가 그 여자를 만난 것도 아니고, 사진을 본 것도 아닌데, (장담하건대 여자의 사진은 한 장도 없었다) 어떻게 편지만을 주고받아서 호감을 가지고 그리워하는 사이가 될 수 있는지 이해할 수 없었다.

이해할 수 없는 것은 그뿐만이 아니다. 그리워할 수는 있다. 군인이다 보니 만나는 사람도 없고, 고된 훈련 뒤에 미사여구로 치장된 문장들 속에서 이상적인 여자의 이미지를 상상하다 보면 정글짐의 아지랑이처럼 그리움이 피어오를 수도 있을 것이다. 그런데 그런 모호한 그리움이라는 것을 용기 있게 행동으로 옮길 수 있게 만드는 힘은 어디서 발생하는 것인지, 꼭 한번 만나고 싶다는 군인아저씨의 간청을 여자가 강하게 거절했음에도 불구하고 군인아저씨는 편지봉투에 적힌 주소를 찾아 무턱대고 고압선집을 찾아온 것이다.

• • •

그날 나는 시멘트턱에 앉아 먼빛을 내쏘는 저 멀리 반짝이는 것은 도대체 뭘까, 생각에 잠겨 있는데 웬 군인아저씨가 90도계단 쪽 문으로 불쑥 들어섰다. 나는 "누구세요?"라고 군인아저씨한테 물었다. 가끔 춘희할머니네 손님이 옥상으로 올라오는 경우가 있었기 때문에 잘못 찾아온 사람이라고 생각한 것이다. 그때 여자는 빨랫줄에서는 빨래를 걷고 있었다. 내가 "누구세요?"라고 군인아저씨한테 물었을 때 여자는 걷은 빨랫감을 잔뜩 가슴에 안고 몸을 돌려 공중부양해서 외벽에 걸린 대형 거울을 바라보았다. 빨랫줄이 쪽문보다 더 안쪽에 매어 있어서 여자가 거울을 보지 않고는 쪽문의 상황을 볼 수 없기 때문이었다.

군인아저씨는 고압선집에 첫발을 디디자마자 씹다 뱉은 대추 같은 꼬마를 보긴 했지만 시선은 커다란 거울을 통해서 빨래를 걷고 있는 뒤태 예쁜 한 여자에게 고정되었다. 거울 속의 여자는 꼬마가 "누구세요?"라는 말이 떨어지기 무섭게 자동인형처럼 스르르 돌아서서 엘리자베스 테일러처럼 크고 맑은 눈에 미소를 얹어 자기를 들여다보고 있었다.

두 연인은 그렇게 거울 속에서 첫 만남을 가졌다. 거울 아래 인쇄된 '발 축 전'이라는 말이 예측이라도 한 것처럼 그 여자와 군인아저씨의 관계는 급속하게 발전되었다. 거울 속에서 만났다는 운명의 신호가 가속도를 낼 수 있도록 바퀴를 달아 주었다. 거울 속에서 미지의 연인이 해후하는 것을 지켜본 유일한 증인인 나는 그러나 운명적인 만남을 축복할 의사가 없었다.

여자는 동대문 시장 엄마의 사촌이 하는 양장점에서 맞춘 하얀 원피스를 입고 군인아저씨와 고압선집을 나갔다. 나는 그런 여자의 뒷모습을 보고 있었다. 언니가 아끼는 앞코에 빨간 리본이 달린 뾰족구두를 신고 90도계단을 또각이며 내려가는 소리가 고압선집에 울렸다.

엄마한테 죽도록 맞게 하고, 훌륭한 언니가 있으니까 책임감이라고는 눈곱만큼도 없는 내가 바뀔 거라고? 책임감 좋아하시네. 나는 코웃음을 쳤다. 큰 가슴 어딘가에 품고 있는 암내로 납작한 가슴을 가진 엄마와 언니와 나는 하지 못할, 남자를 홀리고, 여러 명의 남자에게 동시에 사랑을 받을 것이다. 평생을 질투의 그늘에서 벗어나지 못할 내 미래가 휙 지나갔다.

여자는 어디를 갔다 왔는지 어느새 후줄근한 티셔츠와 몸뻬 바지로 갈아입고 시침을 뚝 떼며 저녁식사를 준비를 하고 있었다. 수돗가에서 쌀을 씻고, 된장 항아리의 한 구석, 구더기가 슬어 있는 부분을 떠서 버리고 속에서 노란 된장을 한 수저 듬뿍 떴다. 조금 전 받아 놓은 쌀뜨물에 된장을 으깨고, 감자와 양파와 호박을 듬성듬성 썰어 넣어 된장국을 끓였다. 밀가루에 고추장을 풀고 엄마가 팔다 남은 오징어와 부추를 썰어 장떡부침개를 노릇노릇하게 지졌다. 달군 프라이팬에서 풍기는 침 넘어가는 기름 냄새와 구수한 된장국 냄새에 식구들은 상이 다 차려질 때까지 부엌 주변을 맴돌았다.

식구들은 아무도 말하지 않았다. 침묵 속에서 수저와 젓가락 딸그락거리는 소리만 들렸다. 여자는 숭늉을 내온다, 된장국을 더 떠온다, 바쁜 와중에 우리와 거의 같은 시각에 수저를 놓았다. 나는 그런 여자를 흘금거렸다. 생판 모르는 군인아저씨랑 어디를 갔다 와서 아무 일도 없는 것처럼 태평하게 밥을 먹고 있었다. 할머니와 아빠는 속은 것도 모르고 장떡 부침개를 부지런히 젓가락으로 집어 먹으며 후루룩, 후루룩, 뜨거운 된장국에 이마의 땀을 훔쳐 가며 수북했던 밥 한 그릇을 비웠다.

나는 언니가 돌아오기만을 기다렸다. 언니가 가장 아끼는 빨간 리본 구두를 신고 그 여자가 모르는 군인아저씨랑 놀다 온 것을 알면 미치고 팔짝 뛰어서 그 여자를 이 집에서 내쫓을 것이다.

드디어 90도계단에서 또각거리는 구두 소리가 들렸다. 나는 언니를 맞이하기 위해 옥상 쪽문으로 달려갔다. 오래전에 백열등 촉이 나가 켜지지 않은 계단의 어둠에서 흔들거리는 춘희대폿집의 하얀 불빛 사이로 언니가 취한 듯 걸어 올라오고 있었다. 옆구리에 뭔가를 끼고 한 발 한 발 힘겹게 걸어 올라오고 있는 언니는 이 집에 처음 이사 올 때 내가 "와, 고압선집이다!"라고 했더니 입 닥치라고, 고압선집이니 옥탑방이니 하는 말을 쓰기만 하면 혼날 줄 알라고, 엄연히 이층 위에 있는 집이니 삼층집이라고 부르라던 호기는 다 사라지고 없었다. 그 여자가 싸 준 도시락을 들고 양말 공장으로 가서 경리일을 보면서 일손이 부족하면 올이 풀리거나 인쇄가 잘못된 불량 양말을 골라내는 일을 하루 종일 하면서 결벽증적이고 앙칼지다 할 만큼 파르르 떨었던 성정은 순하게 바뀌었다. 모든 것을 포용하는 따뜻한 성정의 순한 게 아니고 체념에 가까운, 될 대로 되라는 식의 순함이어서 가끔 모르는 사람을 들여다보듯이 나를 지그시 바라볼 때면 그 눈빛의 냉기에 흠칫 놀라곤 했다.

옆구리에 낀 게 납작해서 언니가 가끔 달동네 어귀에서 사 오는 밤과자나 이 박힌 자리에 침이 줄줄 흐르는 시디신 자두 같은 건 아닐 거라고 생각했지만 언니가 고압선집에 발을 디디기 무섭게 언니의 옆구리에 있는 걸 빼서 보니 언니가 매달 십일조를 바쳐 사 온 레코드판이었다. 먹을 게 아니라 좀 실망해서 언니에게 다시 돌려주고 나는 그 여자가 언니의 빨간 구두를 신고 나갔던 일을 고자질하고 싶어 안달이 났다. "더티해."라고 한마디로 해치웠던 그런 명쾌한 해결책을 기다리며 "언니, 언니, 있잖아. 할 말 있어. 그 여자가 말야……"라고 따라붙었다. 그러나 언니는 무엇에 홀린 사람처럼 "알았어. 담에 들을게." 하고는 남자 방으로 건너갔다. 그리곤 기름진 짐승의 새까만 털처럼 반들반들한 레코드판을 전축에 꽂고 바늘을 올렸다.

오빠는 누워 있다가 일어나서 언니가 바늘을 올리는 동안 레코드 케이스를 들여다보고 있었다. 치…… 하는 잡음 소리에 이어 어깨를 누가 심하게 잡아 흔드는 듯이 떨리는 목소리가 흘러나왔다. 언니는 옷도 갈아입지 않아 짧은 치마 아래로 드러난 두 다리를 감싸안고 그 안에 고개를 파묻고 앉아 있었다. 레코드판 표지에는 측면을 클로즈업한 여자 가수가 슬픈 건지 기쁜 건지 알 수 없는 표정으로 앞을 바라보고 있었다. 슬픈지 기쁜지 알 수 없는 표정이었던 것은 재킷 사진을 카메라로 찍은 게 아니라 브론즈로 뜬 얼굴을 거친 붓으로 그려서였다. 뒷면에는 한글로 해석해 놓은 가사가 적혀 있었다.

난 후회하지 않아

난 아무것도 후회하지 않아요.

사람들이 내게 줬던 행복이건 불행이건 그건 모두 나와 상관없어요.

그건 대가를 치렀고, 쓸어 버렸고 잊혀졌어요.

나의 슬픔도 나의 기쁨도 이젠 더 이상 필요치 않아요.

난 아무것도 후회하지 않아요.

방 안에는 인위적인 슬픔을 강요하는 가수의 떨리는 목소리만 가득했다. 오빠도 뭔가 어색한 이 분위기를 깨고 싶은 눈치였지만 무릎을 안고 있는 언니의 표정이 너무나 비장해서인지 말도 못 붙이고 공연히 케이스를 감싸고 있는 새 비닐을 빠닥빠닥 만지작거리고 있었다. 나 또한 그 여자가 웬 낯선 군인아저씨와 언니 빨간 구두를 신고 놀러 갔었다고 고자질을 하고 싶었지만 괜히 심기를 건드렸다가는 불똥이 나한테 튀어 매만 벌 것 같아서 포기하고 여자들의 방으로 돌아왔다. 그 여자 또한 발만 이불 속에 집어넣고 무릎을 세우고 멍한 표정으로 허공을 바라보고 앉아 있었다. 군인아저씨와의 비밀스러운 달콤한 데이트를 음미하고 있는 거라고 입을 비죽였는데 여자도 '후회하지 않아' 노래를 듣고 있었다.

여자는 무엇을 후회하지 않는다는 것일까. 군인아저씨를 만난 걸 후회하지 않는다는 건가, 아니면 우리 집에 와서 산 걸 후회하지 않는다는 것일까. 자신으로 인해 우리 식구 모두 불행에 빠졌는데, 우리 가족은 모두 후회하고 있는데, 본인은 후회하지 않아, 라는 노래에 감정이입을 하다니. 나는 입을 삐죽이고 잠자리에 들었다.

이날은 여자의 행동을 고자질할 기회를 놓쳤지만 그 이후 벌어진 연속적인 불행은 이 여자와 하루도 더 같이 살 수 없다는 위기감을 느끼게 했다. 결국 나는 언니에게, 언니는 엄마에게 그 여자의 행동을 고자질하도록 몰고 갔다.

가을 운동회

엄마는 장사 때문에 운동회에 올 수 없는 상황이었다. 내가 릴레이 선수로 발탁되어 적토마처럼 달리는 모습을 보여 줄 수 없는 게 안타깝긴 해도 한편으론 추레한 엄마가 학교에 와 망신당하지 않는 게 다행이라고 생각하고 있었다. 아침에 그 여자가 김밥을 쌀 때 옆에 쪼그리고 앉아 하나를 말기가 무섭게 김밥 꼬다리를 낼름낼름 집어 먹을 때만 해도 그 여자와 할머니가 운동회에 참석하리라고는 꿈에도 몰랐다. 김밥을 도시락에 담지 않고 찬합에 2층으로 돌려 담는 것을 보면서도 누구 갖다주려나 보다, 아니, 그런 의식조차 하지 못할 정도로 김밥의 고소한 맛에 빠져 있었다.

그 여자의 손끝에서 탄생한 김밥은 눅눅한 김 냄새도 안 나고 몇 시간이 지나도 고소한 맛이 돌았다. 그 여자는 달걀을 넓게 지단으로 부쳐서 김과 지단, 이중으로 김밥을 말았다. 썰어 놓고 보면 검은 김과 노란 달걀의 색감이 대비되어서 꽃이 핀 것처럼 예뻐서 다른 애들이 싸 온 김밥과 시각적으로 이미 승부가 났다. 소풍이고, 운동회고 엄마가 싸 준 김밥은 한낮의 열기에 눅눅해져 시금치가 쉬거나 김 묵은내가 났는데 여자의 김밥은 깨소금의 고소함이 마지막 한 개까지 고스란히 살아 있었다. “밥을 식힌 뒤에 싸야 해.” 여자가 양푼에 푼 밥에 부채질을 하며 그렇게 말했지만 그것만이 이유는 아닌 것 같았다. 모든 재료들을 다 기름에 달달 볶아 애초에 수분이 숨 쉴 틈을 주지 않았다.

여자는 김밥을 찬합에 가득 돌려 담은 뒤 뚜껑을 덮고 자리에서 일어났다.

"내 도시락은?"

"여기 있잖아."

여자가 찬합을 톡톡 건드렸다.

"내가 돼지야? 이걸 어떻게 다 먹어?"

"이따 할머니하고 갈 거야. 세 사람이 먹을 양이니까 많지 않아."

나는 너무 놀라 엉덩방아를 찧었다. 엄마가 오는 것도 싫지만 암내 나는 그 여자나 촌스런데다가 걸핏하면 고함을 지르는 할머니가 오는 것은 더 싫었다.

"싫어!"

"엄마가 가라고 했어."

여자는 엄마의 명령이니 가기 싫어도 어쩔 수 없다는 듯이 말했다.

"우린 신경 쓰지 마. 조용히 있다가 점심만 먹고 올 테니까. 그리고 통닭은 미순이 엄마한테 주문해 놨으니 선생님 갖다드리래."

내가 ×표를 대표하는 인물로 선정돼서 엄마가 학교에 불려 간 이후 첫 학교 행사였다. 어젯밤 엄마와 할머니가 선생님의 마음을 달랠 선물로 무엇이 좋을지 상의했다.

“역시 한마음 은행 앞에 있는 진미 전기 통닭이 좋겠지요? 고급스럽고.”

엄마의 제안에 나는 하얀 화선지에 기름이 은은하게 밴 통닭을 떠올렸다. 굵은 쇠꼬챙이에 꿰어져 기름을 뚝뚝 흘리며 회전목마처럼 느리게 돌아가는 전기통닭은 고급스러움과 맛있음을 동시에 만족시켰다. 비록 아빠 생일에 딱 한 번 먹어 본 게 전부지만 결대로 찢은 하얀 살은 살대로, 노릇노릇하게 구워져 기름이 쪽 빠진 껍질은 껍질대로 버릴 데 하나 없이 고소하고 짭짜름한 깨소금장에 찍어 먹은 맛을 잊을 수 없었다.

‘진미 전기통닭구이’라고 인쇄된 쇼핑백을 들고 선생님을 찾아가는 장면은 절로 어깨를 으쓱하게 했다. 그동안의 모든 내 죄를 싹 다 지울 수 있을 거 같았다. 그러나 할머니의 말 한마디에 엉뚱하게 뒤집어졌다.

“삥아리만 한 거 묵자 것도 없고 비싸기만 한 걸 뭐 하러. 허씨 닭가게 옆에 거기 온마리로 튀겨 놓은 거 본 게로 푸짐하니 보기도 좋더만.”

허씨 아저씨 닭가게에서 닭을 잡아 갖다주면 미순이네 튀김집에서 통째로 닭을 튀겨 주었다. 엄마는 묵자 것도 없다는 할머니 의견을 따른 척했지만 순전히 전기통닭구이의 절반 값이라는 매력적인 조건 때문에 승낙했다. 고부간에 최초로 의견 일치를 보았다.

• • •

시장으로 들어서는 나는 기분이 좋지 않았다. 전기통닭이 아닌 것도 그렇고, 그 여자와 할머니가 온다는 것도 그렇고. 명숙이와는 여전히 화해를 못하고. 어쩜 세상이 이렇게 내 맘대로 되는 게 하나도 없는지.

명숙이는 의도적으로 나를 피하고 있었다. 내가 적극적으로 명숙이와 화해하려고 찾아가거나 하는 행동을 취한 건 아니지만 내가 명숙이 근처를 계속 얼쩡거리고 있다는 것을 눈치 빠른 명숙이는 누구보다 더 잘 알 것이다. 그런데도 모르는 척하면서 나를 따돌리고 있었다. 오히려 나 보란 듯이 자기 반 혜진이와 팔짱을 끼고 붙어 다녔다. 나에게 보여 주었던 모든 것, 내 의견대로 따랐던 모든 것, 내게 환하게 미소 짓던 것, 비밀의 금들을 혜진이에게 똑같이 보여 줄 것이다. 밀어 버려 맨들맨들한 눈썹 자리에 춘희할머니의 밤색 눈썹연필로 가짜 눈썹을 그려 넣고 혜진이의 팔짱을 낀 채 나를 돌아보며 갈갈 웃었다. 음탕한 계집애. 소설책에서 본 욕을 실컷 퍼부었다.

허씨 아저씨 닭가게는 여전히 굳게 닫혀 있었다. 닭똥 냄새도, 닭 우는 소리도 안 났다. 엄마는 처음에는 장사도 일찍 접고 들어올 정도로 허씨 아저씨네를 걱정하더니 하루가 지나기도 전에 금세 기분이 좋아졌다. 닭가게가 문을 닫자, 닭가게를 빙 둘러서 좌판을 벌일 수 있어서 많은 종류의 생선들을 떼어다 구색을 갖출 수 있었다. 닭가게 문에는 그 여자의 손끝에서 탄생한 반건조 생선들을 새끼줄에 엮여 주렁주렁 매달아 놓았다. 장사도 두 배나 잘돼 자정이

가까워서야 엄마가 빈 다라이를 끼고 들어왔다.

"이제 오면 어떡해. 닭 한 마리 때문에 새벽같이 나와 튀겼구만. 엄마가 하두 부탁을 해서 거절할 수가 있어야지."

미순이 엄마가 나에게 검정 비닐봉지를 내밀며 눈을 흘겼다. 나는 쇼핑백 대신 기름기가 번들번들 번진 검정 비닐봉지를 선생님께 내밀어야 된다는 사실에 놀라 멍하니 서 있었다. 그사이 미순이 엄마가 셔터를 내린 후 내 등을 떠밀어 나는 시장통으로 밀려났다. 미순이 엄마는 까치집을 지은 부스스한 뒤통수를 보이고 사라졌다.

검정 비닐봉지 속은 더 가관이었다. 튀김닭 한 마리가 머리가 댕겅 잘려 길게 삐져나온 목을 곧추세우고 좌정하고 있었다. 수백 마리의 닭을 튀긴 기름을 빼지도 않고 바로 넣었는지 봉지 바닥에는 좌정한 닭이 싸 놓은 오물처럼 거무튀튀한 기름이 흥건하게 괴어 있었다. 선생님께 이 흉측한 검정봉지를 내밀어야 한다고 생각하니 학교로 가는 길이 끔찍해 보였다. 늘 하얀 리본을 곱게 맨 블라우스에 검정 치마를 받쳐 입는 멋쟁이 선생님이 시커먼 기름똥을 싸 놓은 닭을 기쁘게 받으실까.

• • •

운동장에는 만국기가 휘날리고 구령대 앞에는 상품이 쌓인 단상과 귀빈을 위한 의자가 늘어서 있었다. 남자 선생님들만이 전날 예행연습으로 뭉개진 라인을 횟가루로 선명하게 표시하느라 분주할 뿐 아이들은 아직 보이지 않았다. 교무실로 가서 선생님 자리에 닭 봉지를 놓고 도망칠까 고민하다가 "와이로 맥이는 걸 들키면 안 된다."는 엄마의 명령으로 새벽같이 등교했는데 다른 선생님들이 보면 안 될 거 같아서 교실로 향했다. 교탁 안에 넣어 놓고 나중에 선생님께 말할 생각이었다.

복도는 아이들 하나 없이 조용해서 허공에 울리는 내 발자국 소리에 놀랄 정도였다. 살금살금 발뒤꿈치를 들고 걷는데 뭔가 느낌이 이상했다. 돌아보니 걸어온 자국마다 더러운 기름방울이 똑똑 떨어져 있었다. 뜨거운 기름을 식히지 않고 비닐봉지에 넣어서 비닐봉지 한 귀퉁이가 오그라들어 새는 것 같았다. 나는 발걸음을 더 빨리했다. 방과 후 아이들의 수고로 반질반질 왁스칠한 마루 복도에 기름방울을 떨어뜨린 걸 알면, 그리고 그 범인이 나인 것이 밝혀지면 튀김닭으로 선생님과 화해하려는 엄마의 와이로는 헛수고가 된다.

복도 끝에 있는 우리 반에 막 도착해서 뒷문을 열려고 하는 순간, 교실 안에서 폭죽 같은 웃음소리가 터져 나왔다. 뒤 창문으로 엿보았더니 교탁을 사이에 두고 최남희 엄마와 마주 앉은 선생님이 이제까지 들어 본 적 없는 기쁨과 환희에 들뜬 웃음을 터뜨리고 있었다. 교탁에는 '진미 전기 통닭구이'의 쇼핑백과 보자기에 싸인 찬합과 보온병, 그리고 무엇이 들어 있는지 알 수 없는 백화점 쇼핑백이 늘어서 있었다.

교실을 엿보는 시간 동안 봉지에서 편안하게 샌 기름오줌이 복도에 흥건하게 고여 있었다. 나는 실내화로 기름똥을 이리저리 흩뜨려 정체를 숨긴 후 건물 뒤 쓰레기 소각장으로 갔다. 수업이 끝나면 하루치 쓰레기가 검은 연기를 뿜으며 타는 곳이었다. 닭봉지를 휙 집어던졌다. 마음이 후련했다. 차라리 잘된 일이다. 최남희 엄마가 없었다면 그 튀김닭을 선생님에게 내밀었을 것이다. 그랬다면 두고두고 마음에 걸렸을 것이다. 이상한 튀김닭을 받은 선생님은 먹을 수도, 버릴 수도 없어서 고민되었을 것이다. 이제 아무도 모른다. 나만 깨끗이 잊으면 된다.

등나무 아래서 그 여자와 할머니와 함께 찬합에 담긴 김밥을 먹을 때까지는 그럭저럭 별 탈 없이 지나갔다. 3학년 애들의 앙증맞은 꼭두각시 춤을 빼고 모든 경기를 할머니가 시골에서 겪은 운동회와 비교하며 헐뜯는 것을 건성으로 들어 넘기며 마지막 경기이자 하이라이트인 릴레이 달리기를 앞두고 긴장하고 있었다. 점심시간이 끝나고 6학년의 부채춤과 박터뜨리기가 끝나면 릴레이 달리기가 피날레를 장식한다. 학부모도 함께 달리는 것이어서 부담이 덜하지만 우리 청군이 지고 있어서 잘해야 한다.

며칠 전 릴레이 대표 선수를 뽑기 위해 체육시간에 달리기 시합을 했는데 월등한 차이로 내가 여자대표로 뽑혔다. 얼마 전에 전학을 왔기 때문에 선생님도 내가 이렇게 잘 달리는지 몰랐다며 "육상 선수 해 보는 게 어때?"라며 내 어깨를 툭툭 치셨다. 나는 작가가 되고 싶다고 말하려다가 비웃을까 봐 그만두었다.

점심 식사 후 박터뜨리기에서 청군이 이겼지만 총점에서는 청군이 여전히 뒤지고 있었다. 이제 릴레이 달리기만이 남았다. 청군은 마지막 게임을 위해 미친 듯이 응원을 했다. 사회를 보는 체육선생님이 마이크에 대고 선수로 뛸 학부모님과 학생들은 앞으로 나오라고 안내방송을 했다. 자발적으로 선수가 되겠다고 나오는 엄마가 있는가 하면 누군가의 팔에 이끌려 못 이기는 척하고 나오는 사람도 있었다. 학부모 선수와 학생 선수들은 반대편에 나누어 섰다.

나는 제자리 뜀을 뛰면서 몸을 풀었다. 무척 긴장되었다. 잘 달려서 명숙이에게 뭔가를 보여 주고 싶었다. 그리고 화해하고 싶었다. 9월 중순인데도 날이 더웠다. 운동화는 풀썩이는 모래 먼지가 앉아 누렇게 변했다. 이마와 목은 땀이 흘러내려 끈적거렸다. 파란 머리띠의 빽빽한 고무줄 끈이 귀 뒤를 파고드는 것처럼 지끈거렸다. 나는 중간 차례라서 특별히 못하지만 않으면 욕먹을 일이 없지만 꼭 바통을 떨어뜨릴 것 같고, 다리가 마비되어 넘어질 것 같아 바들바들 떨었다. 달리기 전에는 지금처럼 항상 불안에 떨다가도 막상 달리기 시작하면 몸이 새처럼 날아간다. 결승점을 향해 달려가는 게 아니라 몸이 가벼워지면서 붕 떠서 날갯짓으로 훨훨 날아간다.

행사가 지연돼서 돌아보니 진행 선생님이 학부모 한 명이 모자란다고 검지를 치켜세우고 있었다. 선생님 몇이 학부모들이 모여 있는 등나무 벤치로 달려갔다. 이리저리 몸을 빼는 엄마들 사이를 분주히 오가던 선생님의 손에 이끌려 나오는 사람은 그 여자였다. 나는 너무 놀라서 멍하니 서 있었다. 할머니는 뭐가 신이 나는지 이빨이 모조리 빠진 입을 벌리고 웃으면서 안 나가겠다고 버티는 여자의 등을 떠밀고 있었다. 여자는 운동장으로 끌려오면서도 버텼는데 그게 더 사람들의 시선을 끌었다. 보조 선생님이 여자의 파란 손수건을 접어서 머리띠로 사용한 것을 가리키는 것으로 봐서 청군 머리띠까지 하고서는 왜 거절하냐는 의미인 것 같았다.

여자도 포기했는지 학부모들이 모여 있는 곳으로 가서 차례를 기다렸다. 학생들과는 반대편인데다 나와는 순서가 달라 서로 시선을 마주칠 기회가 없어 그나마 다행이었다. 그 여자가 우리 집에 사는 여자라는 것을 아무도 모를 것이니 그나마 천만다행이었다.

총소리가 울렸다. 첫 주자가 중요하다는 것을 알고 있는 선수들은 기를 쓰고 달렸다. 응원석의 함성에 귀가 윙윙거렸다. 청군이 조금씩 뒤처지고 있었다. 저 정도라면 내가 따라잡을 수 있는 간격이다. 나는 달리는 광경을 흘깃거리면서 바통 받는 연습을 했다. 두 번째 세 번째 주자도 거의 비슷한 간격으로 도착했다.

드디어 내 차례가 왔다. 나는 마른 침을 삼켰다. 목구멍이 타는 것 같았다. 나는 서서히 앞으로 달려 나가면서 파란 바통이 내 손바닥에 안전하게 전달되도록 방향 조절을 했다. 백군 애는 선수가 도착하기도 전에 성급하게 마중 나가 바통을 받아 달렸다. 가속도라는 것을 전혀 모르는 애다. 나보다 앞서서 백군 애가 바통을 손에 쥐었지만 나는 이미 전진해 있었기 때문에 우리 편 선수가 달려오던 속도를 보태서 내 손에 바통을 쥐어 주었을 때는 백군과의 간격이 많이 줄어 있었다.

나는 튕겨 나갔다. 날개가 점점 속도를 냈다. 키가 작아서 상대 선수보다 다리가 짧지만 날개가 있다. 조금씩 간격을 좁혔다. 관중의 함성 소리가 바람처럼 내 등을 부드럽게 밀었다. 나는 이를 악물고 달렸다. 세 걸음 앞서 달리는 백군을 추월해야 한다. 내 다리는 마치 감각이 없는 것 같았다. 드디어 백군과 거의 나란히 달리는 지점에 섰다. 백군아이가 나를 슬쩍 돌아보는 사이 나는 한발 앞서 나갔다. 응원석에서 고막이 터질 듯 함성이 울렸다. 간발의 차이로 내가 먼저 들어왔다. 마지막 선수에게 안전하게 바통을 건네주고 주저앉았다. 내 덕으로 청군이 역전했다. 다음 주자는 캥거루처럼 긴 다리로 껑충껑충 뛰는 6학년 언니였다. 응원단이 흥분했다. 그러나 엄마들이 항상 문제다. 학생들에 이어 달리던 청군의 한 엄마가 넘어지는 바람에 다시 역전 당해서 간격이 벌어졌다. 청군 응원단은 다시 시무룩해졌다.

엄마들 순서를 보다가 내 눈을 의심했다. 마지막 주자로 그 여자가 서 있었기 때문이다. 아까는 분명 다른 엄마가 마지막 주자였는데 청군이 역전 당하자, 나이가 가장 젊은 그 여자로 대체된 모양이었다. 여자는 파란 손수건 머리띠로 치렁한 머리를 질끈 묶었다. 신발도 벗어서 맨발이었다. "촌스런 것은 달릴 때도 촌티를 낸다니까."라는 언니의 말이 들리는 것 같았다.

드디어 여자의 손에 파란 바통이 쥐어지고 여자는 달리기 시작했다. 다시 백군과 청군의 간격이 좁혀졌다. 여자는 내가 서 있는 곳을 통과했다. 큰 가슴이 출렁거렸다. 겨드랑이 부분은 땀에 흠뻑

젖어 있었다. 앞뒤로 급하게 흔들리는 두 팔 사이에 있는 겨드랑이와 가슴 부위의 암내가 흘러나오는 풍선 같은 곳이 터질까 봐 조마조마하며 지켜보았다. 그때 어떤 남자의 목소리가 들렸다.

"저 아가씨 생선 장사하는 김씨 아줌마 이복딸 아냐?"

"어디 보자……, 맞네!"

사내가 손뼉을 짝 쳤다. 그리곤 무슨 말인지 소곤거리며 키들거렸다. 연탄집과 쌀가게 아저씨였다. 여자는 혼신을 다해 뛰고 있었다. 이미 여자는 백군 엄마를 여유 있게 따돌렸는데도, 백군 엄마에 대한 조금의 배려도 없이 여자는 이를 악물고 악착스럽게 달렸다. 종료를 알리는 총이 울렸다. 청군이 승리했다. 청군 응원석의 애들은 얼싸안고 난리였다. 여자는 이마로 흘러내린 땀을 손등으로 닦으면서 숨을 골랐다.

나는 부끄러웠다. 이 운동장을 폭파시켜 버리고 싶었다. 다른 별로 떠나고 싶었다. 저런 여자랑 한집에 살아야 한다는 것도 수치스러웠고, 전기 통닭구이를 살 돈이 없어서 더러운 기름오줌을 싸는 튀김닭으로 와이로를 먹이는 것도 수치스러웠고, 내가 생선 장수 딸이라는 것을, 내가 저 여자의 배다른 동생이라는 것을 동네 사람들이 모를 것이라고, 사실은 나만 몰랐는데도 바보처럼 빙 돌아 학교를 다닌 것도 부끄러웠다. 그 여자가 온 이후로 우리 집이 망한 것도 억울했고, 엄마에게 죽도록 매를 맞은 것도 억울했고, 아빠가 나보다 저 여자를 더 예뻐하는 것도, 나를 예뻐했던 춘희할머니가 나를 팥쥐 취급하는 것도 속상했다. 이 모든 것이 저 여자 탓이다.

하루도 저 여자랑 한집에서 살고 싶지 않다.

여자의 승리는 나를 더욱 비참하게 만들었다. 구석에 몰려 무언가를 해내는 것으로 존재감을 삼는 여자의 악착같은 근성과 살아남기 위해 착한 척하는 위선이, 심성 착한데다 어느 것 하나 못하는 것 없는 대단한 여자로 대접받는다. 견딜 수 없다. 땀과 분노의 눈물이 흘러내렸다. 그 눈물이 나를 얼룩지게 했다.

'촌년들은 다 시골로 쫓아 버려야 해.'

끓어오르는 분노감과 수치심은 나를 불길 속으로 던져 버렸고 나 혼자 탈 수 없다는, 희생양을 끌어들여야 한다는 조바심에 발을 굴렀다. 그리고 기회는 생각보다 빨리 왔다.

난 후회하지 않아

선생님들이 단체로 연수를 가는 날이라 학교는 오전 수업만 했다. 이런 날은 명숙이와 신나게 놀아야 하는데 명숙이와는 아직 화해하지 않았다. 명숙이는 혜진이와 태평극장 쪽으로 내려갔다. 핫걸언니네 가서 초콜릿도 먹고, 반짝이 드레스를 입고 재미있게 놀 것이다.

터덜터덜 90도계단을 올라갔다. 변소 냄새는 이제 거의 나지 않았다. 그 여자와 춘희할머니가 극적으로 타결을 봄으로써 변소 청소 문제가 해결되었다. 사실 극적이랄 것도 없었다. 그 여자가 매일 변소 청소를 하겠다고 선언했고, 춘희할머니는 그 대가로 언니와 나를 팥쥐 취급하고 그 여자를 콩쥐처럼 가여워하기만 하면 되었다. 노동력을 제공하고 대신 주변 사람들의 관심을 하나하나 자신에게 돌려 가는 그 여자의 가증스러운 작전이었다.

변소에 들어갔다. 구석구석에 나프탈렌이 놓여 있어 냄새도 안 나고 보송보송했다. 바지를 내리고 쪼그리고 앉으면 시선이 닿는 곳에 '아이는 어른의 아버지'라는 시가 적혀 있었다. 군인아저씨가 보내온 답장에 있던 시를 그 여자가 잔뜩 멋을 낸 글씨로 써서 붙여 놓았다. 나는 그 시를 떼어 변기통 저 안쪽에 집어던졌다.

고압선집에 들어서자 음악 소리가 흘러나왔다. '난 후회하지 않아'였다. 언니가 얼마나 좋아하는지 거의 매일 틀어 대는 판이었다. 가사를 내가 다 외울 지경이었다. 나는 지난번처럼 그 여자가 또 판을 틀어 놓고 언니와 똑같은 포즈로 누워 있다고 생각해서 살금살금 방에 다가갔다. 깜짝 놀라게 하려고 문을 살짝 열었는데 놀란 것은 나였다. 그 여자가 군인아저씨와 부둥켜안고 음악에 맞춰 춤을 추고 있었다. 더욱 놀라운 것은 군인아저씨의 발등 위에 여자의 발이 올려져 있었다. 여자의 가볍지 않은 몸무게에 깔린 발등 때문에 괴로움의 비명을 질러야 마땅한 군인아저씨의 표정은 믿을 수 없게 환희에 젖어 있었다.

내가 예닐곱 살쯤인가, 딱 한 번만, 딱 한 번만이라고 애교를 떨어 가며 졸라서 오빠의 발등 위에 올라탄 채 방 안을 돌아다닌 적은 있지만 학교에 들어가자마자 금지된 연령 상한선이 있는 놀이였다. 그런데 스무 살인 여자가 자기보다 더 마른 남자의 발등에 올라타서 걸음마 연습을 하고 있다니. 할머니와 싸움 끝에 엄마가 동대문 사촌동생 양장점에서 맞춰 준 원피스의 리본은 여자의 허리를 더욱 잘록하게 만들기 위해 안간힘을 쓰며 조여져 있었고, 그 언저리에 군인아저씨의 손이 얹혀 있었다. 남자의 발등 위를 올라탄 여자는 고개를 군인아저씨의 어깨에 기댄 채 눈을 감고 있었다.

등 뒤에서 두 사람을 쏘아보고 있는 나를 먼저 발견한 사람은 그 여자였다. 둘의 자세로 미루어 볼 때, 군인아저씨가 먼저 나를 발견했어야 옳은데 하등동물처럼 온몸이 감각기관인 여자는 군인아저씨의 어깨에서 갑자기 고개를 획 일으켜 세우더니 나를 발견함과 동시에 화들짝 놀라 불 위에서 빨래나 밥이 새까맣게 타고 있을 때처럼 맨발로 뛰쳐나와 부엌으로 사라졌다.

'잘못한 줄은 아나 보군.'

여자의 행동은 내가 언니에게 고자질할 정도로 잘못된 행동이라는 확신을 주었다. 보태거나 빼는 것 없이 언니에게 사실대로만 전달했다. 전에 언니의 빨간 하이힐도 신고 갔다는 것도 일러바쳤다. 분위기를 조성했던 배경 음악으로는 '난 후회하지 않아'가 담당했음을 밝혔다.

언니는 신성모독을 당한 듯이 양팔로 레코드판을 붙들고는 부들부들 떨었다. 금방이라도 내동댕이칠 기세더니 거금을 들여서 산게 아까운지 머뭇거리다가 칼로 케이스를 죽죽 내리그었다. 내가 반들반들 윤이 도는 레코드판을 만지기라도 하면 손등을 찰싹 때리면서 기스 나면 바늘이 튀어, 라고 하던 언니가 자기 스스로 기스를 내고 있었다. 얇은 비닐과 종이케이스는 언니의 칼질에 맥없이 난자당했다. 속에 들어 있던 윤기 나는 검은 판이 드러나자 언니는 칼질을 하면서 고양된 제 성질에 못 이겨 광분하며 레코드판을 힘껏 내려치더니 발로 짓밟기까지 했다. 몇 개월 동안 누적되었던 암내와 더티의 분노가 '난 후회하지 않아'에서 폭발했다.

그다음은 일사천리였다. 언니가 엄마에게 고자질했다. 언니는 내말을 전달한 후에 무언가 귓속말로 첨언했는데 그때까지 씩씩거리며 듣던 엄마는 주먹을 불끈 쥐었고, 그 탓에 양 볼이 파들파들 떨렸다.

엄마는 그 여자를 우리 집에 와서 끝내 친해지지 못한 연탄집게로 흠씬 두들겨 팼다. 아빠가 타일을 훔치다 걸린 문제가 아직 해결되지 않아 우리 집은 비상사태였다. 대단치도 않은 문제였는데 현장소장의 심기를 건드려 아빠의 문제가 상벌위원회로 넘어가 표면화된 이상 절차라는 걸 거쳐야 해서 한정 없이 시간을 잡아먹고 있었다. 막노동이라 일을 안 하면 일당도 없었다.

그런저런 답답한 상황에서 여자가 저지른 행동을 엄마는 도저히 용서할 수 없었다. 언니도 나도 엄마를 말릴 엄두를 내지 못했다. 할머니조차 자칫 잘못했다가는 연탄집게에 휘둘려 맞을 기세여서 그 여자를 90도계단으로 내쫓은 게 취할 수 있는 행동의 전부였다. 엄마는 여자가 "죄송해요, 죄송해요."라고 울면서 90도계단으로 사라진 뒤에도 주질러앉아 "내 팔자야! 내 팔자야!"라고 울부짖었다. 그러다가 갑자기 제 성질에 못 이겨 자리를 털고 일어나더니 90도계단을 두 칸씩 뛰어 내려갔다. 갈 데가 빤한 여자를 찾아 쫓아간 거였지만 엄마보다 한 수 위인 사람이 할머니였다. 전쟁 통에 아빠를 뒤주에 숨겨 목숨을 구한 사람인데 엄마 하나 따돌리는 것은 식은 죽 먹기였다. 엄마가 곱창판과 연탄이 쌓여 있는 창고며, 방 안의 장롱까지 춘희대폿집을 샅샅이 뒤졌지만 여자를 찾아내지 못했다.

아빠가 들어온 후, 엄마의 오열과 신세타령으로 한바탕 더 난리를 치른 후 그 여자를 제외한 여자 네 명이 잠자리에 누웠다. 불을 끄고 다들 잠자는 척했지만 아무도 자는 것 같지는 않았다. 한참 후에 할머니가 먼저 고른 숨소리를 냈고 엄마가 그 뒤를 이었다. 그러고도 한참을 지났다.

"자니?"

이리저리 뒤척이던 언니가 물었다.

"아니."

"얼른 자."

"응."

우리 자매는 그 이후에도 오랫동안 잠들지 못했다. 밤이 깊을수록 고압선의 바람에 떠는 소리가 커졌다. 가을이 오긴 왔나 보다. 고압선에 타 죽은 고양이들과 허씨 아저씨의 팔리지 않은 닭장 속 닭들의 처량한 울음소리를 환청으로 들으며 잠이 들었다.

세상에서 가장 아름다운 색, 물색

이제까지 내가 수치스럽다고 여겼던 것들은 모두 허영에 불과했다. 고압선집은 하루아침에 깊은 적막에 싸였다. 내가 그토록 원했던 그 여자가 있기 전의 시간으로 돌아갔지만, 그 여자가 있기 전의 시간으로 돌아가지지 않았다. 장롱에는 여자의 낡아빠진 검정 코트도, 검정고시 문제지가 들어 있던 가방도 보이지 않았다. 그리고 원피스, 엄마가 맞춰 준 원피스도 보이지 않았다.

고압선집이 이렇게 넓었었나.

그 여자가 없는 고압선집은 순식간에 폐허로 변했다. 시멘트 바닥은 깊게 금이 가 있었다. 팽팽하게 당겨져 있던 빨랫줄은 옷을 걸어 본 적이 없었던 것처럼 색이 바래서 늘어졌다. 함석 빗물받이와 차양은 머리 위로 벌건 쇳가루가 부슬부슬 떨어질 듯 녹슬었다. 그 여자가 마당에서 풀을 뽑는 것을 보지 못했고, 부엌에서 바퀴벌레를 잡는 것을 보지 못했는데 금 간 시멘트 바닥에서는 이상한 풀들이 자라기 시작했고, 바퀴벌레들이 부뚜막을 점령했다. 잡초들은 집의 적막을 숨결로 알아채 싹을 틔웠고, 우연히 방문한 바퀴벌레 한 마리가 부엌을 서식의 본거지로 삼았다.

조용한 일상은 불쾌했다. 내가 부끄럽다고, 수치스럽다고, 얼굴을 붉혔던 모든 이유들은 한낱 어린애의 투정이었다. 죄의식은 수치심처럼 말해질 수 있는 게 아니다. 말할 수 있다면 그건 죄의식이라고 이름 붙일 수 없다. 동굴 깊은 곳에서 울리는 동물들의 비명 같은 것이다. 밤마다 그 여자를 내쫓은 건 나라는 죄의식에 깊이 잠들지 못했다. 나는 점점 말라 갔다. 궤도를 잃었다. 이탈해서 떠돌았다. 먼빛이 와도 숨을 쉴 수가 없었다.

고압선집 쪽문을 끊임없이 흘깃거렸다. 덧니를 드러내며 엘리자베스 테일러 같은 미소를 지으며 아무 일 없었다는 듯이 그 여자가 들어설 것 같았다. 내가 여자를 중상모략 했음을 실토하고 다시 그 여자를 돌아오게 하고 싶었다. 그러나 이내 이런 마음들을 지워 버리고 그 여자를 미워했던 마음을 불러왔다.

"가까이 있을수록 서로 상처 주는 사람들도 있는 거야. 이별이 다 나쁜 건 아니지."

춘희할머니가 자신에게 하는 말인 것처럼 중얼거렸던 말 때문이 아니었다. 아빠가 자리를 보전하고 누워서였다. 타일을 훔친 문제가 말끔하게 해결되었는데도 그 여자가 떠남과 동시에 아빠가 아프다며 드러누운 게, 마치 그 여자가 떠난 게 너무 슬퍼서 병이 난 것 같아 화가 났다. 시멘트턱에 몇 시간이고 앉아, 먼빛과 먼 바람에 깊은 숨을 쉬면서, 여자를 쫓아냈다는 죄의식과 다시 돌아오면 잘 대해 줄 거라는 반성이 마음에서 피어나는 것을, 그 여자가 오면 또다시 벌어질 일들을 감당할 수 없을 거 같아서 지워 버렸다.

아빠가 타일을 훔친 문제는 엉뚱한 곳에서 해결이 되었다. 할머니의 기도에 감동한 부처님이 알라신에게 와이로를 썼는지 모르지만 이슬람사원 건축의 총책임자로 있던 최남희 아빠가 나서면서 간단하게 해결되었다. 준공을 앞두고 있는 마당에 불미스러운 일이 불거져서 부정 타면 책임질 거냐고 현장소장을 꾸짖었다는 대목에서, 비록 내가 최남희를 별로 좋아하지는 않지만 그 아빠는 정말 훌륭한 사람이라고, 그러니까 그런 멋진 건물을 짓는 총책임자 같은 큰일을 맡는 것이라고 존경심을 가지게 되었다.

최남희 아빠의 도움으로 절도 사건이 잘 해결되었는데 왜 아빠가 썩은 나무처럼 쓰러진 걸까. 절도 사건이 벌어졌을 때는 오히려 우리 집이 망하기 전의 당당한 아빠의 모습을 보여 주었다가 감옥도 안 가고 해결되고 나자 머리가 깨질 것처럼 아프다고 앓아누웠다.

매일 같이 뼈를 간 것 같은 하얀 가루를 몇 봉지씩 삼키면서 시체처럼 누워 있었다. 햇빛이 눈을 비추면 머리가 더 욱신거린다고 해서 할머니가 이불 홑청을 뜯어서 두 겹으로 창문을 막았다. 어두컴컴한 방에 하루 종일 누워 뼛가루처럼 하얀 뇌신을 먹었지만 차도가 없었다.

공사가 마무리 단계여서 실무자들 일부만 남고 아빠처럼 단순 막노동꾼들은 대부분 그만둔 상태였으니 해고당한 충격으로 쓰러졌다고 할 수도 없었다. 어른들도 우리가 학교 가기 싫을 때 사용하는 꾀병처럼 일하기 싫어서 아프다고 꾀병을 부릴 수 있지만 그렇게 쓴 약을 매일 세 번씩 먹으면서 꾀병을 부릴 것 같지는 않다. 달고나를 간 것처럼 뽀얗고 하얀 가루가 맛있어 보여서 손가락으로 찍어 먹었다가 혼이 빠지는 줄 알았다. 그렇게 쓴맛은 처음이었다.

나는 이 모든 게 그 여자 탓인 것만 같았다. 아빠는 오로지 그 여자가 우리 집에서 쫓겨난 게 견딜 수 없어서 병이 난 것이다. 당신이 도둑으로 몰리게 되어 매일 상벌위원회에 소환되고 일자리도 잘려서 월급을 못 받는 상황이었다. 월세까지 밀려 고압선집에서도 쫓겨날지 모르는 절박한 상황에서 그 여자는 외간 남자를 불러들여 집에서 껴안고 있다가 걸렸는데도 여전히 그 여자를 어떤 자식보다 우위에 놓고 병까지 들어 버린 아빠 때문에라도 그 여자가 다시 돌아오면 안 될 거 같았다.

사실 그 여자는 군인아저씨와 춤을 추다가 걸렸지만 그 여자가 군인아저씨의 발등에 올라서서 춤을 추는 자세는 둘이 껴안을 수밖에 없게 만들었고 그걸 나는 명숙이 집에서 슬쩍 봤던 미국잡지의 남녀가 껴안고 있는 것을 묘사했을 뿐이다. 나중에 엄마가 그 여자를 연탄집게로 때리면서 "껴안고…… 뒹굴고…… 개돼지… 추잡한……"이라는 말들을 띄엄띄엄 내뱉었는데 껴안다, 와 껴안고 뒹굴다의 엄청난 어감 차이는 이상한 중독성이 있어서 정말 그 둘이 껴안고 뒹굴었던 걸 직접 본 것 같은 착각이 들곤 했다.

여자는 춘희할머니의 소개로 핫걸 언니네 가게에 이틀 동안 숨어 있었다고 한다. 손끝 야무진 여자가 거기에서 설거지해 주고 밥해 주며 핫걸 언니들의 열렬한 환영 속에 지냈는데 할머니가 핫걸에 가 보고는 당신의 귀한 손녀딸이 금방 양색시라도 된 듯 놀라서 시골로 내려보냈다고 한다. 엄마도 돌아가시고, 친척도 없는 시골에서 그 여자는 무엇을 하고 지내고 있을까.

• • •

학교에 다녀오면 아빠는 아침에 학교 가기 전에 보았던 모습 그대로 어두컴컴한 방에 이불을 뒤집어쓰고 누워 있었다. 앓는 소리를 내는 것도 아니고, 가쁘게 숨을 몰아쉬는 것도 아니어서 돌아가신 게 아닐까 무서워 조심스레 이불을 들쳐 보면 두 손을 가슴에 올리고 조그맣게 숨을 쉬었다. 아빠가 한창 바쁘게 활동하고 돈을 벌 때는 아빠의 존재를 잘 느끼지 못했는데 아파서 꼼짝 없이 누워 있으니까 아빠의 존재가 실감이 났다.

"전쟁 통에서도 살아남고, 집이 망했어도 살아남은 질긴 생명인데 직장에서 잘렸다고 죽으면 억울한 일이제."

할머니는 아빠가 쓰러진 게 직장에서 잘려서라고 믿고 있었다. 할머니는 뇌신이 효과가 없자 어디서 구해 왔는지 조기 눈알이 담긴 자루를 매고 돌아왔다. 채반에 널어 말린 조기 눈알을 맷돌에 간 뒤 꿀물에 섞어 마시게 했다. 그렇게 해도 효험이 없자, 누에고치에서부터 매미 껍질까지 난생처음 본, 생물이라고도 무생물이라고도 할 수 없는 영험한 것들을 수집해 왔다. 고압선집은 온통 이상한 것들이 끓는 냄새로 고약했다. 그러나 며칠이고 애를 써도 효험이 없자 할머니는 제풀에 나가떨어져서 고압선집에 아예 붙어 있으려고 하지 않았다.

그 여자가 없어서 집안 살림을 할 사람은 할머니밖에 없는데도 "내가 식모살이하러 서울에 온 줄 아느냐."면서 춘희할머니와 붙어 다녔다. 콧수염할아버지의 귀국으로 두 할머니는 연적에서 절친으로 변했다. '유달산 홍단'과 '서울 청단'이 타짜 단짝이 돼서 이태원만으론 부족해서 보광동, 한남동까지 환상적인 면목을 보여 주러 원정을 다녔다.

어른들의 화해 방식은 이해되지 않았다. 다시는 안 볼 것처럼 싸워 놓고 정식화해 절차도 거치지 않고 한 사람이 제안하고 다른 사람이 그 제안을 받아들임으로써 몇 년 우정을 자랑하는 사이로 되다니.

"막내 거기 있냐?"

시멘트턱에 앉아 있는데 아빠가 나를 불렀다.

"네."

나는 방문을 열었다. 아빠는 그전에도 워낙 마른 체격이었지만 그동안 먹지를 못해 자연 수업시간에 본 해골모형 같았다.

"물 드려요?"

"아니, 들어와 봐라."

아빠의 머리맡에는 손도 안 댄 죽 그릇이 놓여 있었다. 할머니가 아침에 끓여 놓은 죽은 개도 안 먹을 만큼 이상한 냄새가 났다.

"학교 다녀온 거냐?"

"네."

"재미있는 일은 없었고?"

하필 오늘처럼 선생님한테 혼난 날에 재미있는 것이 있냐고 묻다니. 그렇지만 아빠를 실망시킬 순 없었다. 작년 돈암동에서 학교 다닐 때의 일이긴 하지만 글짓기를 해서 상을 받았다고 말했다. 그때 식구들에게 자랑했더니 오빠는 학교 다닐 때 글짓기 상 한 번 안 타 본 사람 있냐고 무시했다. 언니는 내 글을 읽어 보더니 어른들 소설이나 읽고 못된 공상만 한다고 오히려 혼냈다. 불조심이 주제였는데, 외숙모네 집에 불이 나서 외숙모 얼굴이 흉하게 데어서 너무 마음이 아팠다고, 정말 불조심을 해야겠다는 무척이나 교훈적인 내용이었다. 물론 외숙모네 집에 불이 났다는 건 내가 멋대로 지어낸 이야기였다.

"우리 막내가 글 솜씨가 좀 있나 보구나."

꼴찌인 장려상이지만 아픈 아빠한테 꼴찌상을 받았다고 밝힐 필요는 없었다.

"우리 막내는 뭐가 되고 싶지?"

내가 되고 싶은 건 될 수 없는 거다. 난 작가가 되고 싶다. 그러나 세상에 공부 못하고 책임감 없는 작가는 없을 것이다. 작가가 되려면 유식해야 한다. 엄마가 생선 장사하는 것, 장사가 망해서 달동네로 이사 온 것은 도움이 될 수도 있다. 작가는 유식할 뿐 아니라 경험도 많아야 한다니까. 그러나 경험만으로 작가가 될 수 있다면 춘희할머니나 미미엄마나 그 여자는 이미 훌륭한 작가가 되었어야 한다.

"작가가 되고 싶어요."

최남희의 변호사, 함창훈의 판사처럼 뭔가 번듯한 것이 되고 싶다고 말해서 아빠를 기쁘게 하고 싶어서 부끄러움을 무릅쓰고 말했다.

"작가 좋지."

"책임감 없는 사람도 작가가 될 수 있어요?"

"그럼, 책임감과는 아무 상관없어. 예술가는 마음속에 그림자를 갖고 있으면 되는 거야."

막노동꾼인 아빠가 그런 멋진 말을 했을 리 없다. 나는 잘못 들었나 싶어서 다시 물어보았지만 아빠는 해골 같은 얼굴로 힘겹게 숨을 몰아쉴 뿐이었다. 눈을 감고 있어서 아빠가 잠들었나 싶었는데 숨을 고르더니 말을 이었다.

"작가가 돼서 아빠를 멋진 주인공으로 등장시켜 주렴."

아빠가 슬며시 웃었다. 자세히 보니 아빠는 꽤 잘생긴 얼굴이었다. 늦둥이로 나를 낳아서 내가 아빠의 존재를 의식할 만큼 컸을 때는 이미 아빠가 늙은 뒤여서 아빠의 얼굴을 자세히 볼 기회가 없었다. 언니가 아빠의 흰 피부를 닮아서 그나마 나은 편이고, 나는 각진 얼굴에 쪽 째진 눈, 뻐드렁니의 엄마를 빼닮았다.

"넌 훌륭한 작가가 될 거야."

어른들이 아무렇지 않게 애들한테 이런 말을 하면 놀리는 것 같아 기분 나빴는데, 숨도 제대로 못 쉬는 아빠가 어렵게 말을 하니 눈물이 나오려고 했다.

"죽 좀 드릴까요?"

"아니. 괜찮아. 이따 내가 먹을게."

죽은 차갑게 식어 덩어리져서 수저로 잘 떠지지 않았다. 내가 어렸을 때 아빠가 나를 아빠 무릎 위에 앉히고 밥을 먹여 주었던 것처럼 나도 아픈 아빠를 내 무릎 위에 앉혀 놓고 죽을 먹여 드리고 싶었다. 나는 수저로 떠서 아빠 입에 넣어 주었다. 아빠가 몸을 일으켜 받아먹었다. 차가운지 인상을 찡그렸다. 몇 번 더 받아먹더니 손을 내저었다.

• • •

아빠가 잠이 든 것을 보고 이불을 덮어 주고 나왔다. 배가 고팠다. 도시락을 안 싸 간 적도 많고, 여자가 타 준 우유미숫가루를 먹지 않아서 초저녁만 돼도 배가 고파서 허리를 펼 수 없을 정도였다. 부엌으로 들어갔다. 불이 꺼진 지 오래된 부뚜막을 점령한 바퀴벌레들이 내 기척에 후르르 흩어졌다. 냄비 뚜껑을 열어 봐도, 솥뚜껑을 열어 봐도 먹을 건 없었다. 찬장에 미숫가루 통이 있어서 열어 보았더니 작은 구더기 같은 것들이 통 위를 기어 나오려고 발버둥을 치고 있었다.

시멘트턱에 걸터앉았다. 쪽문 위에는 제비집이 매달려 있던 자리에 시커먼 흔적이 남아 있었다. 이사 오던 날, 할머니는 제비집을 보고 누가 말릴 틈도 없이 작대기로 때려서 떨어뜨렸다. 시골 초가집에서는 제비집이 있으면 구렁이가 제비새끼를 먹기 위해 나타난다는 것을 경험하고 구렁이가 없는 서울인데도 무의식적으로 그렇게 행동한 것이다.

검고 둥근 얼룩만이 제비집이 그곳에 있었음을 알려 주었다. 모든 사라진 것의 흔적은 마음을 아프게 한다. 여자는 내가 학교에서 돌아와 목욕하려면 물이 차갑다고 햇볕에 따뜻하게 데워지도록 큰 고무 다라이에 수돗물을 가득 담아서 놓곤 했다.

내가 비록 명숙이처럼 음모가 깔리기 시작하고 가슴이 봉긋 올라오진 않았어도 이 나이에 발가벗고 목욕하라는 것 자체가 나를 어린애 취급하는 것 같아 기분 나빠서 항상 여자가 받아 놓은 물은 쓰지 않고 보란 듯이 비워 버렸다. 새 수돗물을 콸콸 틀어서 세수를 하고 목을 닦고 발을 씻었다. 맑은 물이 찰랑거리던 그 다라이에는 누렇게 뜬 나뭇잎들과 날파리들로 더러웠다. 여자가 입술을 깨물며 두 개가 붙은 연탄을 내리치던 칼질과 새하얀 옷들이 햇살과 바람에 나부끼던 빨랫줄과 푸른 비늘을 긁어내고 유선형의 생선 몸통을 쓸어내리던 여자의 손의 환영이 그 물 위에 어른거렸다.

고압선을 넘어왔던 거울처럼 나도 고압선을 넘어가 옥상 난간에 섰다. 하나도 무섭지 않았다. 고압전기가 내 몸을 관통한데도, 무릎이 꺾여 이 난간 너머로 흐르는 밤의 어둠 속으로 떨어진데도 하나도 무섭지 않았다. 내 무릎 정도밖에 오지 않는 낮은 난간에 몸을 바짝 붙이고, 팔짱을 끼고 아래를 내려다보았다. 그러나 골목은 조용했다. 사람들의 정수리도 차의 지붕도 보이지 않았다. 춘희할머니의 간드러진 목소리도, 소독 연기처럼 울컥 내뱉던 곱창이 타는 매운 연기도 없었다.

쪽문 옆으로 가서 섰다. 까마득히 먼 곳에서 빛이 반짝였다. 저기에서 먼빛과 먼 바람이 오는 것이다. 저기는 한강이었다. 잠수교를 개통하는 날 춘희할머니, 명숙이, 그 여자와 할머니와 함께 다녀왔다. 집에서 30분 정도 걸어갔더니 갑자기 한강이 나타났다. 집에서 그렇게 가까운 곳에 한강이 있으리라고 생각하지 못한 나는 괴성을 질러 댔다. 다리를 개통하는 날이라 차들도 통제되고 곳곳에 경찰들이 서서 안전사고에 대비해 차도 쪽으로 내려오지 못하도록 하고 있었다.

비가 오면 잠기도록 낮게 설계되어 잠수교라는 이름이 붙은 그 다리를 걸어가는 내내 강 물결이 발목까지 차오를 듯 바로 눈앞에서 출렁였다. 명숙이와 내가 수다 떨면서 한참을 가는 동안 그 여자는 잠수교 난간에 팔을 괴고 한강물을 오래도록 바라보느라 오지 않았다. 여기 사람 많은 데서 길을 잃어버리면 큰일이라고, 함께 다녀야 한다고 춘희할머니가 멈춰서 기다렸지만 그 여자는 오지 않았다. 결국 할머니가 "으이그, 산골 촌년이 한강물을 본게로 정신을 못 차리는구만." 하며 다시 그 여자 있는 곳까지 가고서도 한참을 기다린 끝에 그 여자를 데리고 왔다. 여자는 내 뒤를 따라오며 "시통아, 너는 강물을 이렇게 가까이서 본 적 있니? 세상에서 제일 예쁜 색이 뭔지 알아? 바로 물색이야."라고 말했었다. 그 가장 아름다운 물색이 빚어낸 물빛이 먼 길을 돌아 이곳 고압선집에 닿았다. 나는 그 물빛을 잡으려고 손을 뻗었다.

푸른빛의 그곳

엄마에게 먹을 걸 좀 사 달라고 해야 할 거 같았다. 시장통을 향해 천천히 걸어갔다. 상인들 몇이 닭가게 앞에 모여 수군거리고 있었다. 엄마가 안 보였다. 장사를 하던 자리도 깨끗이 정리되어 있었다. 엄마가 집에도 안 왔는데 어디 갔지, 라고 생각하는 순간 닭가게 벽에 근조등이 삐딱하게 걸려 있는 게 보였다. 벽은 평면이고 등은 둥글어서 근조등은 똑바로 걸려 있을 수 없었다. 노란 불빛이 흘러나오는 근조등이 기우뚱하게 걸려 있어서 더 슬퍼 보였다.

닭가게 옆 미순이 튀김집으로 들어갔다. 미순이는 쪽방에서 배를 깔고 엎드려 있다가 손님이 온 줄 알고 몸을 일으켰다.

"여기 닭가게 말이야."

나는 근조등을 가리켰다.

"허씨 아저씨네?"

"응."

"거기 아들 죽었어."

"정말? 언제?"

"잘 몰라. 너희 엄마도, 우리 엄마도 다 거기 가셨어."

가마솥처럼 생긴 커다란 튀김판은 불이 꺼져 있고, 신문지를 두

껍게 깐 위에 고구마, 오징어튀김과 튀김닭들이 엎드려 있었다. 기름 냄새를 맡는 순간 미칠 듯이 배가 고팠다. 하나만 달라고 하려고 했는데 미순이가 튀김을 흘깃거리는 나를 경계해서 엉뚱한 말이 튀어나왔다.

"튀김 얼마야?"

"얼마치 사려고?"

"글쎄. 하나만……."

"하나를 산다고?"

"아니, 그건 아닌데."

말을 하면 할수록 목구멍에는 삼키기 어려울 정도로 침이 고였다.

"이거 하나 먹어."

미순이도 눈치가 빨랐다. 어린 나이에 장사를 하면 눈치가 빨라진다. 명숙이도 눈치가 빠르다. 그러나 가판대 아래 작은 통에서 꺼낸 튀김은 어제 팔다 남은 것인지 색깔이 거무튀튀하고 기름에 절어 있었다.

"엄마가 개수 다 세어 놓고 가서 새건 못 줘."

내가 튀김을 받지 않고 새 튀김을 기웃거리자 미순이가 말했다.

"안 먹을 거야?"

할머니가 더러운 손으로 건네준 귀한 오렌지도 안 먹었는데 이런 튀김을 먹을 수는 없다. 내가 머뭇거리자 미순이는 망설임 없이 튀김을 자기 입에 넣더니 손에 묻은 기름을 쪽쪽 빨았다. 나는 안 먹은 것을 후회했다. 보는 것과 맛은 다를 수 있는 건데. 미순이는 더러운 때가 탄 커다란 들통에서 아무렇지도 않게 물을 떠서 마셨다. 물도 썩었을 것 같았다. 미순이가 먹는 모든 것은 썩었을 것 같다. 머리카락이 돼지털처럼 뻣뻣하고 부스스한 것도 매일 튀기다 안 팔린 더러운 튀김과 썩은 물을 먹어서일 것이다. 미순이는 점점 돼지처럼 변해 갈 것이다.

배가 너무 고파서 걸을 힘도 없었지만 집으로 들어가고 싶지는 않았다. 아빠도 해골처럼 누워 있다가는 우리 집에도 곧 근조등이 걸릴지 모른다. 근조등은 둥그렇고 고압선집 벽은 평면이라서 기우뚱하게 걸릴 것이다. 밤이면 춘희할머니의 대폿집 간판에서 뿜어져 오는 하얀 빛처럼 사람들의 발길을 붙드는 노란빛을 음산하게 밝힐 것이다.

나는 계속 걸었다. 겨울이면 김장시장이 열리는 김장골목 입구에 새로 오픈한 닭가게에는 손님들이 몇 명이나 줄서서 자기 차례를 기다리고 있었다. 신장개업 화환이 아직 마르지 않은 채 세워져 있었다. 이 닭가게는 허씨 아저씨 가게처럼 재래식이 아니라 공장에서 다 손질되어 나온 닭을 팔았다. 살아 있는 닭의 목을 딴 후에 뜨거운 물에 넣고 시금치를 데치듯 커다란 주걱으로 뒤적인 뒤, 털을 뽑는 흉측한 과정을 생략하고 온천탕에 다녀온 것처럼 상기된 표정의 닭들이 나란히 줄 맞춰 엎드려 있었다. 닭울음소리도, 닭똥 냄새도 나지 않았다. 허씨 아저씨 가게가 오랫동안 문을 닫아 이 가게는 성업 중이었다.

태평극장으로 가는 작은 삼거리에 도달했다. 저만치에 핫걸이라는 간판이 보였다. 그때 명숙이가 가리켰을 때는 전선이 지저분하게 얽힌 간판이었는데 밤에 보니까 붉은 네온사인이 한 글자씩 켜졌다, 꺼졌다 하면서 화려하게 불을 밝히고 있었다. 그 옆으로 게이스트리트로 올라가는 골목이 보였다.

핫걸 간판 아래 두 여자가 짧은 미니스커트를 입고 팔짱을 끼고 수다를 떨고 있었다. 자세히 들여다보았지만 거리가 먼 데다 화장을 진하게 해서 얼굴이 비슷해 보였다. 할머니 말로는 그 여자가 핫걸 언니들 밥을 해 주다가 할머니의 손에 이끌려 그 여자의 고향에 내려가 있다, 고 했다.

나도 그렇게 알고 있었는데 오늘 쉬는 시간에 명숙이가 할 말이 있다고 나를 복도로 조용히 불렀다. 만약 명숙이가 정식으로 화해를 청하면 못 이기는 척 받아들이려고, 대신 혜진이와는 놀지 않겠다는 조건을 걸려고 도도하게 팔짱을 끼고 턱을 치켜들고 나갔다. 명숙이가 구석으로 나를 이끌고 가더니 “너희 그 언니 있잖아. 핫걸 언니네서 일한대.” 그리곤 내 귀에 뭐라고 소곤거렸다. 발랑 까진 명숙이가, 말을 가리는 것 없이 자기 하고 싶은 대로 하는 명숙이도 크게 말하지 못했다. 나는 얼어붙은 듯이 서 있었다. 워낙 거짓말을 잘하는 명숙이라 그게 정말이냐고, 어떻게 알게 되었느냐고 물어볼 엄두도 못 냈다.

춘희할머니가 알았다면 같이 화투치러 다니는 우리 할머니가 모를 리가 없는데, 아마도 명숙이가 핫걸 언니한테 몰래 놀러 갔다가 그 여자를 보았거나 들은 얘기일 수도 있다. 그 여자가 절대 집에 말하지 말라고 단속을 해놨을 것이다. 나는 이 이야기를 식구들에게 말하지 않았을 뿐만 아니라 명숙이와 더욱 화해를 하지 않았다. 명숙이가 내 귀에 속삭인 뒤에 내 반응을 보려고 나를 똑바로 쳐다볼 때 뭔가 비웃는 듯했다. “너희 엄마 양갈보지? 그래서 네가 미미를 싫어하고 너희 할머니가 너 화장하면 매 때리는 거지?”라고 자신을 비웃은 것에 대한 야릇한 보복처럼 느껴졌다.

“이 배꼽, 눈곱, 변소간, 거짓말쟁이. 그 여자는 시골 자기 엄마네 집에 내려갔다고.”

나는 소리치고는 뒤도 안 돌아보고 교실로 들어왔다.

태평극장과 반대인 학교 쪽으로 올라갔다. 아톰 문방구를 지나고 성당을 지났다. 하얀 성모마리아 상은 손바닥을 나를 향해 펼치고 있었다. 신부님이 있다면 그게 무슨 뜻인지 물어보고 싶었지만 이곳 성당에는 낮이나 밤이나 사람 그림자라곤 보이지 않았다. 학교를 지났다. 학교로는 고개도 돌리고 싶지 않았다. 어쩔 수 없어서 다니는 곳을 미미가 부러워한다는 게 이해되지 않았다. 하긴 모든 사람이 다니고 있다면 다니고 있지 않은 것만으로 피부색이 다른 것과 마찬가지로 견디기 힘들 것이다.

학교를 지나서 작은 골목으로 올라갔다. 하늘에는 초승달과 별이 한 쌍으로 걸려 있었다. 오빠는 한번 알게 되면 자주 그것이 눈에 띈다고 했는데 맞는 말이었다. 초저녁이라 희미한 모양인데도 내 눈에 보였다. 우주 운항을 마치고 잠시 쉰 것처럼, 나를 찾아 헤매다 내 눈에 띈 그 순간을 위해 멈춘 것처럼, 나 또한 서서 한참을 바라보았다.

한참 걸어 올라가니 야트막한 언덕이라 숨이 찼다. 그래도 쉴 수가 없었다. 헉헉대며 더 올라갔다. 조금 넓은 곳이 나왔다. 그리고 나는 헉, 숨을 들이켰다. 그곳에 그것이 있었다. 이슬람 사원이 우뚝 서 있었다. 나는 숨이 막혔다. 내가 알지 못하는 사이에 이슬람 사원은 완성되어 어둠 속에서 당당하게 빛났다. 무거운 어둠 속에서 우뚝 서 있는 사원은 거대한 숨을 쉬고 있는 것 같았다. 아빠가 나에게 몇 개씩 가져다주었던 하얀 바탕 위에 알 수 없는 푸른 무늬가 새겨져 있는 타일의 흰색과 푸른색이 어둠 속에서 빛을 내고 있었다. 무수히 많은 등불처럼 보였다. 모든 훌륭한 것은 빛을 낸다. 이슬람사원의 눈물 모양 지붕 양옆에 솟은 첨탑에는 초승달과 별이 달려 있었다. 까마득히 높았지만 그게 달과 별이라는 것은 분명했다. 숨 막히게 아름다운 장면이었다. 가로등도, 네온사인도 없는 깜깜한 밤이어서 그 한 쌍은 더욱 아름답게 빛났다.

나는 더 있을 수가 없었다. 푸르고 하얀 빛이 내 숨을 모두 빨아들이는 것 같아서 숨을 쉴 수 없었다. 달리기 시작했다. 두 다리의 날개가 점점 속도를 냈다. 가을바람이 내 등을 가볍게 떠밀었다. 모든 사물의 빛들이 나에게 달려와 부딪혔다. 지나치게 빛나는 것은 나를 두렵게 했다. 내 모형은 완성되지 못했다. 나도 언젠가 완성될 수 있을까. 금 같은 죄의식을 숨기고, 비린내 같은 수치심을 가두고, 찬란하게 빛날 수 있을까. 내 안에 쌓인 추억들로 춤추는 코끼리처럼 살아갈 수 있을까. 나는 아기코끼리처럼 엉덩이를 실룩실룩 흔들며 달렸다. 기억속의 푸른빛이 추억처럼 반짝였다.

에필로그

하나밖에 없는 사탕을 명숙이와 나눠 먹기 위해 망치로 내리친 적이 있다. 사탕 세 배 크기의 육중한 망치머리는 사탕을 가루로 짓이겨 버렸다. 지금 그 망치가 내 머리의 한 부분을 휘젓고 다니면서 끊임없이 짓이기고 있다. 그 통증은 물 위에 떠 있는 말랑말랑한 젤리 위에 시침바늘을 잔뜩 꽂아 놓은 형상으로 나타난다.

나는 침대에 누워 있다. 망치질은 잠시도 쉬지 않고, 시침바늘 또한 점점 깊숙이 꽂힌다. 지난 며칠 동안 거의 먹지도, 자지도 않고 밤샘 작업을 해서 그 여자의 이야기를 소설로 완성했다. 이제 손 하나 까딱할 수 없다. 누군가의 위로를 받고 싶다. 발가벗고 꼼짝 않고 누워 있는 나를 누군가 감은 눈부터 발가락 끝까지 단단하고 긴 혀로 핥아 준다면 이 통증이 없어질 것 같다. 그는 나를 발가벗겨 놓고 그렇게 애무하는 것을 좋아했다. 나는 눈을 감고 그의 혀가 닿는 곳을 따라 감각을 집중했다. 그의 혀는 단단하면서도 부드러웠고, 아가미처럼 붉었다. 할머니는 아버지가 좋아하는 아가미 젓갈을 만들기 위해 아가미를 다지곤 했다. 백열등 아래서 쌍칼질하는 할머니의 볼갗은 무당처럼 붉게 달아올랐다.

아이가 사산되고 나서 스무날도 지나지 않아 내 상처투성이의 붉은 성기 속, 아이가 양수를 터뜨리며 탯줄을 끌고 빛으로 미끄러져 나온 짧고 좁은 그 길을 거꾸로 거슬러, 아직은 둥글게 부풀어 있을 그 방 끝의 어둠을 향해 그가 거친 숨소리를 내며 달려갈 때 알았다. 내가 명숙이의 쪽방에서 기를 쓰고 그 잡지를 안 보려고 했던 것도, 그 여자가 오던 첫날, 언니가 더티라고 했던 것, 암내라고 했던 말이 아무 의미도 모를 그 어린 나이에 각인되었던 것도, 남자들이 그 여자를 바라보는 시선들을 선명하게 기억하는 것도 모두 다른 여자들보다 더 강한 내 내면의 욕망 때문이었음을. 그때는 어려서 인식하지는 못했지만 내 내면은 그걸 알고 있었음에 틀림없다. 그래서 더욱 위선 속으로 욕망을 숨겼을 것이다.

아득한 희열로 내달리면서도 이를 악물어 쾌감을 자제하려고 애썼던 것 또한 아이가 태어나기도 전에 숨이 끊겨 기계로 빼낸 지 스무날도 되기 전에 남자의 몸을 끌어들인 나 자신을 제재하는 척이라도 해야 그가 나를 선량하게 봐줄 거 같아서였다. 쾌감을 감추려고 전혀 싹틀 기미가 없는 죄의식을 끄집어내 위선을 떨었다.

나는 기억들을 떨쳐 버리려고 머리를 흔든다. 망치에 짓이겨진 골이 물병 속에 든 점액질처럼 흔들린다. 방 안은 장롱 문이 조금 열려 있다는 것을 간신히 알아볼 정도로 어둡다. 무질서하게 쌓여 있는 책들은 그가 이곳에 머물렀었다는 것을 상기시켜 준다. 나는 몇 번이나 책장을 사자고 그에게 졸랐다. 그는 결국 책장을 사지 않고 떠났다. 흉하게 쌓아 놓은 책들은 슬쩍 건드리기만 해도 무너질 것 같았지만, 지난 몇 개월 동안 그런 일은 일어나지 않았다. 위에 있는 책들은 아래를 누르고, 아래 있는 책들은 위를 지탱한다. 그는 결국 나를 떠나 허술해 보이지만 그런 견고한 시스템이 작동하는 세계로 돌아갔다.

무질서하게 쌓여 있는 책들 중 두 권은 내 이름으로 출간된 책이다. 두 권 모두 초판도 채 팔지 못하고 사라져 버렸다. 내가 처음 소설 습작을 하던 때 나는 그 여자의 이야기를 짧은 단편으로 썼었다. 교수님이 내 소설을 읽어 보고 "소재가 아주 좋네. 실제 경험인가?"라고 물으셨다. 조금은요, 라고 말했지만 나는 얼굴이 붉어졌다. 숨기고 싶었던 내 위악성과 우리 집안의 일그러진 모습들을 들킨 기분이었다. 등단을 하고 나서는 오히려 그 여자의 이야기를 깊이깊이 감추었다.

문예지로 등단하고 나서 식구들이 모인 자리에서 등단을 했다고 말했더니 오빠는, "그럼 이제 신춘문예로 등단하면 작가가 되는 거겠네."라고 말했다. 고급공무원인 오빠조차 신춘문예로 등단해야만 작가가 되는 걸로 알고 있어 섭섭했는데 나중에 엄마가 전화를 걸어왔다.

"너 소설 쓴다면서야. 숙자 이야기 써서 니 오빠 공연히 앞일 막지 말고. 잉? 무슨 말이지 알재?"

엄마는 당신이 그렇게 싫어했던 할머니 말투를 여든이 넘으면서는 거의 똑같게 따라 했다. 젊었을 때는 사투리를 거의 쓰지 않던 엄마가 언제부터인가 내가 잘 알지 못하는 사투리에 억양까지 똑같아서 '혹시 할머니인가?' 하고 돌아볼 정도가 되었다.

"엄마, 엄마 말투가 할머니하고 똑같은 거 알아?"

언젠가 내가 그 말을 했을 때 엄마는 할머니가 기분 나쁠 때면 짓던 손짓과 표정을 똑같이 지었다. 주먹을 머리 위로 치켜들며 때리는 시늉을 하면서 아랫입술을 깨물던. 나도 여든이 넘으면 할머니와 엄마의 말투를 따라 하게 될까. 엄마의 염려가 아니더라도 나는 그 여자 이야기를 소설로 쓸 생각이 없었다. 엄마에겐 오빠가 걸리는지 몰라도 나에겐 내가 제일 걸렸다. 그러나 이제는 써야 한다. 내 나이 마흔 후반이다. 두 번째 책을 출간한 지 7년이 흘렀다. 이대로 끝낼 수는 없다. 마지막 기회였다.

지난번 할머니 제사에 부모님을 찾아뵈었을 때 언제까지 혼자 살 거냐고, 네 오빠는 뒤로 생기는 게 솔찬해서 집도 두 채나 장만했는디, 아버지가 음복을 하면서 걱정스러운 표정으로 말했다. 오빠는 4급 공무원으로 올라갈 수 있는 데까지 올라갔다.

엄마와 텃밭을 가꾸며 사는 아버지는 뇌신을 먹던 얼굴에서 많이 늙지 않았다. 두 겹으로 접은 옥양목 이불보로 창문을 막아 어두운 방 머리맡에 뼛가루처럼 하얀 뇌신과 조기눈알 가루를 쌓아 두고 고통에 머리를 쥐어뜯으며 괴로워하던 장년의 아버지는 이제 이빨이 하나도 없는 할아버지가 되었지만 지금이 더 건강해 보인다.

지난번 아버지 팔순 잔치에 식구들이 다 모였을 때 아버지가 텔레비전의 어떤 장면을 보고 큰 소리로 웃었다. 나는 아버지의 웃는 모습이 낯설었다. 아버지가 이렇게 크게 웃었던 적이 있나 싶었다. 큰오빠가 장만해 드린 새 틀니를 낀 아버지의 웃는 모습은 이슬람

사원 공사현장에서 퇴근하고 돌아와 고압선 집에서 담배를 피워 물며 세숫대야를 발로 차서 우그러뜨리는 것으로 울분을 달래던 그때보다 더 정정해 보인다.

좀 울고 나면 두통이 사라질까. 울어 본 지가 아득하다. 어렸을 때 빼고 내가 기억하는 한 울어 본 적이 없다. 목구멍까지 차오른 적은 있지만 눈물이 방울지어서 나온 적은 없다. 목구멍이 맵다. 눈물이 흘러나오지 않고 기화되면 매운 가루가 된다. 혀 뒤쪽을 타고 온 매운 가루를 침과 함께 삼키면 눈가에 어리던 눈물이 쏙 들어간다. 나는 어려서부터 이 방법을 알고 있었다. 언제부터였을까. 그 여자가 우리 집을 떠난 날부터?

겨울이라 창문을 닫아 두었더니 공기가 텁텁해서 활짝 열었다. 앙상하게 마른 나뭇가지가 창문에 드리워 있다. 작년 봄에 이 창문을 열었다가 깜짝 놀랐다. 봄물이 찰랑하게 오른 나뭇가지마다 약이 바짝 오른 초록의 새순이 발악하듯이 돋아나고 있었다. 나는 그 여자가 오던 날 이후 아지랑이가 피는 봄이 끔찍하게 싫었다. 최근 들어 봄 없이 바로 여름이 되는 날씨가 오히려 고마웠다.

잠깐 사이에 찬바람이 몰아쳐 창문을 닫는다. 커피의 마지막 한 모금까지 마시고 종이컵을 구긴다. 종이컵 바닥에 남았던 커피 몇 방울이 주르륵 흘러 방바닥을 적신다. 휴지로 대충 닦아 내고 종이컵을 더욱 세게 구겨서 쓰레기봉투에 담는다. 주방이 없는 이곳에서 살면서 쓰레기 부피를 줄이기 위해 커피를 마신 뒤 종이컵을 구기는 습관이 생겼다. "저희 집에 주방이 없는데 괜찮겠어요?" 처음이 집을 보러 왔을 때 주인여자가 그렇게 물었다. 화장실이 없는 것도 아닌데 괜찮겠지.

그 여자가 떠난 이후, 그러니까 열한 살부터 서른다섯에 집을 나와 소설습작을 시작하기 전까지 방방마다 까만 머리들이 가득 들어 있는 대가족의 부엌데기 노릇에서 해방되었다고 생각하자. 싱크대가 없으면 손에 물을 묻힐 일이 없을 테니 손톱 습진도 없어지겠지, 라고 월세를 치렀는데 매일 아침 햇반을 전자레인지에 돌려 김치와 멸치를 고추장에 찍어 밥을 먹고, 머그컵이 아닌 종이컵에 커피믹스를 털어 넣고, 과일을 씻으려면 화장실 세면대로 가져가야 하고, 라면 국물을 변기에 버려 본 뒤로 컵라면도 포기한 뒤엔 억울한 감정이 솟았다.

그러나 습관이 가진 장점은 아무리 좋지 않은 것이라 해도 그것에서 나름의 기쁨을 발견한다는 점일 것이다. 곧 값싼 월세와, 조용한 동네와, 10분이면 지하철역에 떨궈 주는 마을버스에 길들여져 갔다. 무엇보다 주방이 없다는 것이 내 마음의 짐을 덜어 주었다. 고압선집 부엌은 재래식이었다. 연탄이 들어가는 아궁이가 있고, 그 주변을 시멘트로 돋워 만든 부뚜막이 있는 형태였다. 서너 명은 너끈히 앉을 수 있게 넓었다. 날이 서늘해지기 시작하면서 따뜻한 부뚜막에 엉덩이를 걸치고 앉아 그 여자가 건네주는 설탕을 솔솔 뿌린 누룽지를 뜯어 먹곤 했다.

그 여자가 떠난 뒤, 우리 식구들은 고압선집보다 더 싼 집을 찾아 두세 번 더 이사를 다녔다. 드디어 오빠가 공무원 시험에 합격하면서 공무원 융자금으로 전세를 얻어 간 집 부엌은 내루식이었다. 정확한 명칭이 있는지 모르지만 우리는 그렇게 불렀다. 입식과 재래식의 중간단계였다. 부엌을 가기 위해 신발을 다시 신어야 하는 재래식이 아니라 한 평면의 공간 안에 부엌이 있지만 아직 가스 공급이 대중화되지 않아 채택된 게 내루식이었다. 이때부터는 부엌이 아니라 주방이라고 부른다.

내루식은 아궁이와 부뚜막 대신 연탄 두 장이 마침하게 들어가는 이동식 화덕을 좁은 터널 같은 곳으로 밀어 넣는 방식이었다. 화덕이 가서 닿는 곳이 방의 아랫목이 되었다. 취사를 할 때는 기다란 쇠갈고리를 걸어 화덕을 끄집어내고, 취사가 끝나면 화덕을 밀어 넣었다. 이 글을 쓰는 중에 문득, 내루식이 아니라 내로식이 원래의 명칭이 아니었을까 생각이 든다. 안의 길로 넣는다는 뜻의.

샤워를 하고 옷을 입는다. 오늘 대기업 사보에서 의뢰한 인터뷰이는 네 번에 걸쳐 망막수술을 받고 실명 위기를 극복한 사람이었다. 만나기로 한 병원 로비로 향했다. 바깥 날씨가 추워서 더 북적거리는 것 같았다. 수족관 기사라는 인터뷰이와 이런저런 이야기를 나누던 중 그는 자신의 핸드폰을 열어서 그동안 작업했던 수족관들을 보여 주었다. 주로 기업체나 병원, 큰 식당에 설치된 수족관들이었다. 이제까지 내가 보아 온 작은 어항 같은 것과는 차원이 달랐다.

나는 사진 한 장을 넘길 때마다 "와, 대단하세요. 정말 멋져요. 눈이 안 보였다면 정말 어쩔 뻔했어요."라며 목소리를 높였다. 머릿속으로 '보는 것만으로도 행복입니다.'라는 아파트 광고 같은 카피가 지나갔다. 카메라기자가 와서 밖으로 나왔다. 추운데도 잠바를 벗고 얇은 니트 차림을 고집하는 인터뷰이로부터 자연스러운 포즈를 끄집어내려고 카메라기자가 애를 썼다. 몇 군데 더 옮겨 사진을 찍고 악수하고 헤어졌다.

버스 정류장으로 이동하면서 핸드폰을 확인하니 편집자로부터 언제 원고 파일을 보내겠냐는 문자가 와 있었다. 나는 답장을 보내지 않는다. 아직 모르겠다. 마음이 정해지지 않는다. 이 소설이 발표되고 우리 식구들은 괜찮을까. 지명도도 없는 내가 소설에 가정사를 밝혔다고 해서 뭐 어떤 영향력을 끼칠까. 그렇다고 해도 엄마나 오빠가 이 책 내용을 알게 된다면 가만있지 않을 것이다.

집으로 가는 버스를 계속 보냈다. 이태원으로 가는 버스를 탔다. 언제부턴가 이태원은 핫플레이스가 되었다. 지인들이 놀러 가서 맛있는 거 먹자는 말을 나는 필사적으로 거절해 왔다. 우연히라도 이태원-보광동이라고 적힌 노선버스를 보면 마음 한쪽이 아렸다. 이제 그곳으로 간다.

• • •

"마음에 드세요?"

거울 속에서 흑인여자가 나를 들여다보며 묻는다. 흑인여자의 유창한 한국말에 나는 잠깐 멈칫한다.

"아주 예뻐요."

아주 예뻐요, 라는 내 말에 여자가 활짝 웃는다. 치렁하게 긴 머리를 짧게 커트했다. 머리가 가벼워진 느낌이다.

허씨 아저씨 닭가게였던 자리에 미용실이 들어섰다. 미용사의 눈이 미미와 너무 닮았다. "혹시 미미니?"라고 묻고 싶었지만 그 말이 입 밖으로 나오는 순간 이 여자가 미미든지 아니든지 나는 이 여자를 껴안고 울 것 같아 재빨리 팁을 주고 나온다.

닭가게 앞 엄마가 생선 노점을 펼쳤던 곳은 깔끔하다. 여기뿐 아니라 시장통에는 노점상이 하나도 보이지 않는다. 냄새 나는 구정물도, 발을 뗄 수 없을 정도로 얼기설기 다라이 하나만을 껴안은 노파들도, 호객을 하느라 외치는 고함들, 한 푼이라도 아끼려고 흥정하는 손님과 애걸하는 장사치들도 보이지 않는다. 너무 조용하고 질서정연하고 잘 정돈되어서 거치적거리지도, 혼란스럽지도, 시장통 같지도 않다. 천장은 아케이드처럼 지붕이 덮여 있어서 어느 때고 산책자들과 수집가들과 군중들이 웃으며 구경 다닐 수 있는 환상의 공간이다.

미순이 튀김집이었던 곳은 환전소가, 그 옆은 아랍 식재료를 파는 가게들로 바뀌었다. 가게마다 아랍인이나 흑인, 인도인들이 의자에 앉아 있다. 미군들은 오히려 눈에 띄지 않는다. 나는 천천히 올라가서 태평극장 쪽을 바라본다. 태평극장은 한때 신성일이라는 영화배우가 인수했다는 신문기사를 본 적 있는데 그 이후는 없어졌다고 알고 있다. 태평극장 쪽의 게이스트리트는 유명해져서 그때

보다 더 화려하게 번쩍번쩍 불을 밝히고 있다.

언젠가 게이스트리트를 헤매는 꿈을 꾼 적이 있다. 휘황찬란한 불빛으로 나를 유혹하면 나는 가지 말아야 한다고 꿈에서조차 불안해하면서도 발걸음은 천천히 그곳을 향해 움직인다. 그리곤 깬다. 어떨 때는 내가 그곳에서 짙게 화장을 하고 가짜 속눈썹을 붙이고 술을 팔고 있다. 그런 꿈에서 깨어나면 내가 살고 있는 현실보다 그곳이 더 현실처럼 느껴진다.

기억을 더듬어서 고압선집을 향해 걷는다. 엄마가 치맛자락을 휘날리며 걸어오던 그 언덕길을 천천히 올라간다. 생각했던 것보다 더 좁고 더 가파르고 더 지저분하다. 변하지 않은 건지 더 퇴락한 것인지 관광지 같이 변한 이태원의 다른 곳과 달리 이곳은 시간이 비켜 간 것 같다. 다닥다닥 붙어 있는 집들을 지나서 고압선집이었던 건물 앞에 섰다. 1층의 춘희대폿집은 양꼬치집으로 변했다. 가게 한쪽 편에는 케밥을 테이크아웃 할 수 있도록 작은 쇼윈도가 달려 있고 쇠꼬챙이에는 양고기가 덩어리째로 돌아가고 있다. 홀에는 연탄이 들어가던 둥근 불판 대신 타탄체크 식탁보가 덮인 테이블이 몇 개 놓여 있고 한 테이블에는 손님이 무언가를 먹고 있다.

가게 옆 고압선집으로 올라가는 출입문을 올려다보니 가파른 90도계단이 그대로 보인다. 고압선집의 낮은 난간도 그대로이다. 고압선은 보이지 않는다. 거울이 공중부양 할 때는 그렇게 까마득하게 높던 그곳이 계단 몇 개 뛰어오르면 닿을 수 있을 것처럼 낮아 보인다.

거울이 양탄자처럼 공중부양 하던 그 길, 그 궤적 그대로 이번엔 그 여자가 추락한다. 어려서부터 수재 소리를 듣던 오빠는 식구들의 기대를 안고 서울대를 들어갔다. 생선 장수를 하던 엄마가 너는 우리 집 대주니까, 우리 집의 유일한 희망이니까 데모는 하지 말라고 간절히 말렸는데도 오빠는 앞장서서 데모를 하다가 강제 징집을 받아 군 입대를 했다. 어차피 입대하는 거, 돈이나 벌자는 계획으로 오빠는 월남파병을 신청한다.

지금도 나는 선명히 기억한다. 내가 시멘트턱에 앉아 있는데 오빠가 다리 한쪽을 잘라 낸 상이용사가 돼서 오렌지 박스를 들고, 군복을 입고 고압선집 쪽문으로 들어서던 장면을. 그 여자는 빨래를 걷고 있다가 '발 축 전'이 새겨진 거울을 통해 오빠를 보았다. 입대하기 전에 한 달 동안 갈비집에서 죽도록 일해서 번 돈으로 부모님 내복과 내 우산을 사 주었던 오빠가 왜 그 여자에게 그런 짓을 했는지 모른다. 엄마는 사람이 전쟁터에서 멀쩡한 다리를 잘라 냈는데 제정신이겠냐고도 했고, 실수라고도 했다. 실수는 누구나 하는 거라고.

케밥가게의 파키스탄 남자가 자기 가게 앞을 서성이고 있는 나를 위아래로 훑어본다. 얼마 전 국내에 할랄음식을 위한 도축공장을 세운다는 정부 발표가 있은 뒤 이태원에서 작은 규모의 반대시위가 있었다. 사람들은 개슬림이라고 쓴 플래카드를 들고 "너희 나라로 떠나라!"는 구호를 외쳤다. 이 케밥 집 남자는 여기저기 기웃거리는 내가 수상쩍은 모양이다.

"아버지는 시체 치우는 일을 하셨어요. 폭탄 보너스를 받을 때는 우리 식구들이 양껏 먹을 수 있었어요. 보통은 6달러를 받는데 폭탄 맞은 시체를 치울 때는 2달러 더 받거든요. 어느 날, 아버지가 폭탄 보너스를 받고 돌아와서 한 아이의 이름을 대며 '네 친구지 않니?'라고 물었어요. 나는 맞다고 했어요. '다리 한 짝이 지붕 위에 있더구나.'라고 아버지는 보너스로 받은 돈으로 사 온 빵을 먹으면서 말했어요. 엄마는 한국 건설회사 직원들 빨래를 해 주었어요. 거기서 한국을 알게 되었고, 여기까지 오게 되었어요." 언젠가 티브이에서 본 내용이지만 이제 이곳은 더 이상 내가 살던 이태원이 아니다. 이곳에선 내가 오히려 이방인이다.

몸을 돌려 학교 쪽으로 천천히 걸어간다. 아랍인 몇 명이 내 곁을 스쳐 지나간다. 왼쪽으로 이슬람사원으로 올라가는 골목이 나온다. 그 양옆으로는 아랍 서점과 식재료를 파는 곳, 중고전자제품을 파는 가게가 늘어서 있다. 그 너머로 이슬람사원의 거대한 눈물 모양의 지붕이 보인다.

나는 그곳을 지나쳐 동빙고동을 향해 계속 걸어간다. 한강의 반짝이는 물빛이 보인다. 잠수교 진입로로 들어선다. 그때 잠수교 개통 때는 다리 양옆으로 사람이 다닐 수 있도록 좁은 인도만 있었는데 버스가 다닐 수 있는 중앙차로가 있고 양옆으로는 자전거 통행길도 생겼다. 나는 인도로 걸어야 할지 자전거 통행로로 걸어가야 할지 갈피를 못 잡고 하얀 차선을 밟으며 아슬아슬하게 걸어간다. 차들은 많지 않았지만 몇몇 차들은 내가 차선을 넘어올까 봐 걸어

가는 뒤통수에 대고 성급하게 클랙슨을 울려 댄다.

이쯤일까.

그 여자가 난간에 팔꿈치를 걸치고 "너는 이렇게 예쁜 물 본 적 있니? 세상에서 제일 아름다운 색은 물색이야."라고 말했던 것으로 여겨지는 곳쯤에 나도 팔을 걸치고 선다. 그렇게 예뻤던 강은 며칠째 계속되는 한파로 꽁꽁 얼어서 발목에 닿을 듯 찰랑이지도, 몸에 착 감기던 뜨거운 여름의 비릿한 물내도 나지 않는다. 차가운 바람만이 얼굴을 때리고 지나친 뒤에도 미련이 남는지 내 주변에 머물며 위협하고 있다. 나는 꽁꽁 언 손으로 주머니에서 편지를 꺼낸다. 원고를 탈고한 뒤 쓴 편지이다.

언니 전상서

언니 잘 지내고 있죠.

언니가 잠수교 난간에 팔꿈치를 괴고 한강을 바라보던 그 시간으로부터 40년 가까이 지났네요. 언니를 이 세상에 살려 두고 싶었어요. 이 지긋지긋하고 지옥의 불구덩이 같은 세상 속에서 온갖 병과 시름에 고생하도록 살아 있게 하고 싶었어요. 내가 가고 싶은 세상으로 혼자 가서 편안하고 안락하게, 아등바등 살아가는 우리들을 굽어보고 비웃으며 살도록 하고 싶지 않았습니다.

소설 쓰는 후배에게 물어봤어요. 한 여자가 있는데 그 여자가 양색시로 살아가는 것이 더 고통스러울까, 죽는 것이 더 고통스러울까.

후배는 양색시로 살아가는 게 더 고통스러울 거라고, 그게 소설로서도 더 극적이라고 조언을 했어요. 양색시로 살아가는 게 더 소설적이고, 극적이어서 언니를 살려 둔 건 아니었습니다.

오빠의 손길을 피해 거울이 올라왔던 그 똑같은 궤적으로 떨어졌던 언니를 살려 두어 그냥 서로 지긋지긋해하며 우리를 원망하고 욕이라도 하며 어떤 곳에서라도 살아 있기를 원했습니다.

언니가 떨어졌던 곳에는 부엌 찬장 뒤에 숨겨 두었던 언니의 빛바랜 생리혈과 같은 핏자국을 오래도록 남겨 놓았습니다. 그날로 아버지는 쓰러졌습니다. 할머니가 만들어 온 정체불명의 민간요법 약재들, 뇌신이라고 지금도 이름을 기억하고 있는 쓰고 하얀 가루를 매일 먹고도 아버지는 점점 더 쇠약해졌어요.

다들 재기할 수 없을 거라고 떠들어 댔습니다.

결국 허씨 아저씨의 가게를 외숙모가 빌려준 돈으로 인수하고 엄마 혼자 닭가게를 운영하다가 엄마 혼자서는 도저히 감당이 안 돼서 아버지가 조금씩 나와 도와주기 시작하면서 아버지는 일어설 수 있었어요.

매일 살아 있는 닭을, 똥이 뒤범벅된 좁은 칸에서 눈알을 뒤룩이며 서로의 부리를 겨누며 꾸꾸 거리는 생닭의 목을 따 붉게 쏟아지는 피를 보면서 그 살아 있는 붉은 피의 힘으로, 아직 숨통이 끊어지지 않아 뜨거운 물에서 퍼덕일 때면 두 손을 모두어 들통 뚜껑을 꼭 눌러 죽이는 힘으로 아버지는 살아나셨습니다.

언니가 그렇게 떨어져 죽고 우리는 바로 이사를 갔습니다. 그곳에 살 수가 없었어요. 장사를 하고 있는 엄마는 계속 이태원을 겪을 수밖에 없었지만 우리 식구들은 다시는 이태원으로 돌아가지 않았습니다. 이태의 도시, 언니가 살았던 고통의 도시는 우리에게 몇 배나 더 힘든 시간을 주었습니다.

언니, 후회하지 않아, 라는 노래를 기억하세요?

재작년엔가, 에디뜨 피아프의 일대기를 영화로 만들었다고 해서 혼자 영화관에 갔습니다. 마지막에 에디뜨 피아프의 '후회하지 않아'를 들으면서 많이 울었습니다.

편지를 완성하지 못했다. 후회하지 않아, 라는 부분에서 더 이상 써지지 않았다. 완성하지 못했지만 가장 예쁜 색인 물색의 강에 흘려보내려고 가져왔던 편지를 강물이 꽁꽁 얼어 주머니에 집어넣으려다가 다시 꺼낸다. 곧 있으면 그 여자가 우리 집을 찾아왔던 아지랑이 피어오르던 봄이 올 것이다. 그때쯤 이 편지는 어디론가 흘러갈 것이다. 잡을 수 없는 아지랑이처럼, 꽃김밥처럼 예쁜 물빛을 따라서 이태의 도시가 아닌 여자가 살아 있는 곳으로 흘러갈 것이다. 편지가 얼음 위에서 세찬 바람에 가볍게 흔들린다. 나도 짧고 가벼워진 머리를 한 번 흔든다. 기억 속의 푸른빛이 추억처럼 반짝인다.

당선 소감

●

심사평

| 제8회 김만중문학상 소설 부문 은상 소감 |

김경순

나의 유년을 떠나보내며

나의 유년은 억압의 시간들이었습니다.

대가족의 북적임 속에서 금기와 침묵은 묘한 부조화를 가져왔습니다.

당시의 억압적인 정치체제와 닮은 모습이기도 했습니다.

유년에 이사를 많이 다녔습니다.

좁고 가파른 이태원의 골목들은 거의 비슷비슷했습니다.

그 후 그곳은 '골목'에 대한 기준점이 되었습니다.

이 소설을 쓰면서 삼십 년 만에 이슬람사원과 이태원 집의 골목들을 찾아갔습니다.

모든 것이 부서지고 새로 쌓아 올려지는 삼십 년의 시간을 비껴난 모습이었습니다.

내 기억 그대로의 모습이어서 오히려 마음이 아팠습니다.

이 소설을 탈고하면서 부모님 생각을 많이 했습니다.

두 분 모두 구순입니다.

시대의 단편들을 거칠게 휩쓸려 오신 그분들의 삶에 대해, 고생하셨다는 말씀을 드리고 싶습니다.

김만중 문학상(남해유배문학관)과 심사위원님께 감사드립니다.

이 소설로 이제는 나의 유년을 홀가분하게 떠나보낼 수 있을 거 같습니다.

| 제8회 김만중문학상 소설 부문 심사평 |

심사위원 : 김병총, 백시종, 원종국

오랜만에 만나게 된 굵직하고 듬직한 장편소설

이번 김만중 문학상 소설 심사에 응모된 작품은 모두 '109명의 182편'이었다. 적잖은 분량의 작품을 읽으며 심사위원 세 명은 한 달 넘게 무더운 여름의 피서를 대신하였다.

예심을 거쳐 본심에 올린 작품은 모두 9편이다. 단편소설 「숨」, 「영원한 여름」, 중편소설 「블루 크리스마스」, 「계엄령」, 「눈썹」, 장편소설 「앵강바다 아리랑」, 「유리세계」, 「춤추는 코끼리」, 「기울어진 식탁」 등이다.

긴 논의 끝에, 심사위원 세 명은 여러 장점들에도 불구하고 예심을 통과한 중단편의 소설미학이 장편소설의 깊고 굵직한 호흡을 뛰어넘을 만한 수작이 되기에는 여러모로 부족하다는 데 합의했다. 그리하여 최종적으로 거론된 작품은 모두 장편소설들로, 「앵강바다 아리랑」, 「춤추는 코끼리」, 「기울어진 식탁」이 그들이다.

우선 「앵강바다 아리랑」은 김만중 문학상을 운영하는 이곳 남해가 배경이고, 소설 중에 김만중과 그의 유배문학이 직접적으로 서술되기도 해서 반가웠다. 또한 일제 강점기의 강제 징용과 탈출 등에 대한 역사적인 서술들은 그 주제의식이나 공간적인 스케일을 뒷받침하는 미덕을 갖추고 있다. 그러나 김시습, 김만중, 이강년, 이순신 등 역사 인물들에 대한 언급이 장황하고, 다루어지는 공간이라든가 독자를 계몽하고자 하는 의식 같은 것들은 일종의 '기획소설'로 읽히기도 했다는 단점이 지적되었다.

「춤추는 코끼리」는 성장소설의 미덕을 두루 갖추고 있는 작품이다. 이 소설의 화자는 시골에서 서울로 올라와 이태원 달동네에 거주하게 된 열한 살 소녀인데, 아버지가 다른 여자와의 사이에서 낳은 배 다른 언니인 '그 여자'의 고된 삶과 더불어 좀처럼 삶의 구렁텅이에서 벗어날 수 없는 도시 주변부 인물들의 삶을 때로는 익살스럽게 때로는 애처롭게 묘사한다. 특히 아버지가 노동자로 참여해 건립 중인 이슬람사원(서울중앙성원)과 이태원의 유곽촌을 배경으로 하는 이 동네의 이야기는 우리 현대사를 압축적으로 때론 상징적으로 보여 준다는 특징을 갖고 있다. 이곳을 통해 사회의 일원으로 성장하는 한 인물의 모습, 특히 마지막의 반전은 이 소설의 주제의식을 돋보이게 하는 압권이다.

「기울어진 식탁」은 6 · 25전쟁 전에는 북한의 땅이었다가 휴전 후 남한의 땅이 된 민통선 부근에서 농사짓고 사는 중늙은이들의 이야기다. 많은 재산을 일궈 냈지만 가족들 사이에서 외톨이가 된 종

두와 그의 아들 윤오, 일제 말 일제의 밀정이었던 아버지 덕에 재산을 일으키고 그의 아들이 현직 검사여서 어깨에 힘을 주고 사는 종원, 행방을 모르는 인민군 출신 아버지와 피란 중 사망한 어머니 사이에서 큰 홍주 등등 쉽지 않은 공간에 여러 사연으로 얽힌 인물들에 대한 묘사는 가히 압권이다. 농촌소설의 계보를 이었다고 볼 수 있을 텐데, 연약해진 한국 문단에서 오랜만에 만나게 된 굵직하고 듬직한 장편소설이었다. 읽는 내내 행간에서 느껴졌던 '삶의 덧없음'과 더불어, 문장 사이사이에 잘 녹여 쓴 순우리말은 이 작품의 또 다른 미덕이다.

심사위원들은 장시간의 논의 끝에 「기울어진 식탁」을 금상으로, 「춤추는 코끼리」를 은상으로 선정하는 데 의견의 일치를 보았다. 당선작들이 갖추고 있는 문학성과 더불어, 우리 당대 문학을 보다 풍성하게 하는 데 조금치의 부족함도 없으리라는 판단에서다. 당선자들에게는 축하와 격려의 인사를, 더불어 아쉽게 낙선한 투고자들에게도 다른 자리에서 또 다른 작품으로 만나게 되기를 바란다는 말로 심심한 위로를 전한다.

심사위원: 김병총, 백시종, 원종국

제8회 김만중문학상 소설 부문 은상 수상작

춤추는 코끼리

초판 1쇄 인쇄일 2017년 12월 18일
초판 1쇄 발행일 2017년 12월 20일

지은이 김경순
저작권자 남해군 · 김만중문학상운영위원회
펴낸이 양옥매
디자인 표지혜
교 정 조준경

펴낸곳 도서출판 책과나무
출판등록 제2012-000376
주소 서울특별시 마포구 방울내로 79 이노빌딩 302호
대표전화 02.372.1537 **팩스** 02.372.1538
이메일 booknamu2007@naver.com
홈페이지 www.booknamu.com

ISBN 979-11-5776-512-6(03810)

이 도서의 국립중앙도서관 출판시도서목록(CIP)은 서지정보유통지원 시스템 홈페이지(http://seoji.nl.go.kr)와 국가자료공동목록시스템(http://www.nl.go.kr/kolisnet)에서 이용하실 수 있습니다.
(CIP제어번호 : CIP2017033967)